스마트폰 씹어먹기 2

활용편 기본앱

박현경

디지털세상을 알려드리는 알리쌤입니다.
구리, 남양주에서 시니어분들의
스마스폰 강의하고 있습니다.

오수정

인공지능 전문 미소강사 오수정 입니다.
챗GPT, 생성형 AI 프롬프트 엔지니어로
스마트폰으로 하는 AI까지
학교, 기업, 기관에서 강의하고 있습니다.

오현수

스마트한 농부를 위한 디지털 강사
문경엘사입니다. 문경시 주민센터와
노인복지관에서 강의하고 있습니다.

이경숙

편리한 디지털 세상에서 남녀노소 누구나
쉽게 책을 읽으며 소통하는
온/오프라인에서 북클럽을 운영하며
강의하고 있습니다

디지털튜터협회 강사
레디큐 디지털 교육연구소

정승미

어려운 디지털의 세계를 쉽게 알려
드리는 구리,남양주 시니어
전문 강사로 활동하고 있습니다.

이채영

이채로운 디지털 세상을 쉽게 전달해드
리는 디지털 챙이입니다.

차성혜

디지털 세상으로 날아오를
플라이성혜입니다.
현재 SKT IFLAND 인플루언서로
활동하고 있습니다.

이젠 본격적인 활용으로 한 발 더 내딛어 볼까요?

'스마트폰 씹어먹기 기본편'으로 스마트폰 설정과 환경 설정까지 개인 맞춤형으로 만들어보셨다면 이젠 본격적인 활용으로 한 발 더 앞으로 내딛어 볼까요?

'스마트폰 씹어먹기 2권 활용편 기본앱'에서는 일상생활에 필수적인 기본 앱의 다양한 기능과 활용법을 꼼꼼히 다루었습니다. 이 책의 마지막 페이지를 넘길 때면 스마트폰은 당신의 삶을 변화시키는 놀라운 도구가 되어 있을 거에요.

이 교재에서 다루고 있는 앱은 다음과 같습니다.

- 카메라앱 : 더욱 똑똑해진 기능과 다양한 필터로 당신의 모든 순간을 예술작품으로 만들어 드립니다.

- 갤러리앱 : 다양한 편집 기술을 익히고 사진과 영상을 효율적으로 관리할 수 있습니다. 아름다운 추억을 깔끔하게 정리하고 즐겁게 관리해 보세요.

- 시계앱 : 누구에게나 똑같이 주어진 24시간, 시계 앱을 활용하여 효율적으로 시간을 관리 할 수 있어요.

- 캘린더앱 : 중요한 약속을 놓치지 않게, 잦은 망각으로 인한 스트레스를 날려주고, 한 눈에 알아보기 쉽게 일정을 관리해주는 기특한 비서입니다.

- 빅스비앱 : 음성 명령으로 우리의 삶을 더욱 스마트하고 편리하게 만들어주는 AI 친구입니다.

- 삼성노트앱 : 단순한 메모앱이 아닙니다. 생각보다 더 강력한, 당신의 모든 것을 담는 공간 으로 활용해보세요.

- 카카오톡앱과 아숙업 : 최고의 소통 플랫폼에서 제공하는 수많은 기능을 익혀보세요. 일상 에 활력을 불어 넣어드립니다. 인공지능 친구 아숙업까지 소개해 드립니다.

스마트폰을 활용하여 일상과 업무의 효율성을 높이고, 디지털 세상에서 자유롭게 헤엄치고 싶은 분이라면, 함께 출발해볼까요? 지금부터 새로운 시작입니다!

2024년 7월
레디큐 디지털 교육연구소 연구원 일동

목차

제8장
아숙업

심화 QR
강사용 PDF 전자책에 수록되어 있는 심화 내용을
따로 모았습니다.
전광판앱도 수록되어 있습니다.

제1장
카메라

카메라 앱이란 ?

카메라 앱은 손바닥 사진관!

요즘 스마트폰은 카메라 기능이 많이 훌륭해졌어요. 하지만, 다양한 기능과 메뉴 때문에 어떻게 사용해야 할지 막막하시죠? 걱정하지 마세요! 스마트폰 카메라 앱 사용법을 쉽고 재미있게 알려드릴게요. 스마트폰 카메라 앱은 사진 촬영과 동영상 촬영을 더욱 풍요롭게 해주는 똑똑한 도구랍니다.

1. 카메라앱 실행하기

방법 1

10
24
4월 29일 월요일

메시지 오후 10:12
캘린더
네이버 카페 오후 9:41

습득시 (010-1234-5678으로 연락주세요

잠금화면에서
카메라앱
아이콘 누르기

방법 2

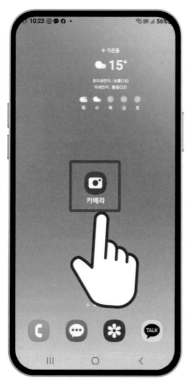

홈화면에서
카메라앱
아이콘 누르기

2. 사진 촬영

1) 사진촬영 화면 구성 익히기

- 사진촬영 모드에서 대상에 따라, 전면, 후면 카메라에 따라 구성이 조금씩 다름

① 촬영모드 선택
  인물사진, 사진, 동영상, 더보기 중
  손가락으로 화면을 옆으로 밀어 선택
② 사진 촬영 버튼
  동영상 촬영버튼은 ⊙
③ 전면 후면 카메라 전환 버튼
  (셀카, 화상통화는 전면 카메라
  대상이나 QR코드는 후면 카메라)
④ 화면 확대와 축소 (줌인 줌아웃)
  숫자를 눌러서 조절하거나 엄지와
  검지를 벌렸다 오므렸다 해서 조절
⑤ 초점 맞추기
  초점 맞출 대상을 손가락 끝으로
  톡! 누르면 노란 네모가 생김
⑥ 갤러리 버튼
  사진이나 동영상을 찍고 바로 확인
⑦ 글자가 있는 대상을 찍을 때는 텍스트
  스캔 버튼 [T] 을 눌러 사진 속 텍스
  트를 번역, 복사, 노트에 추가할 수 있음

 폰 기종마다 구성이 다를 수 있습니다.

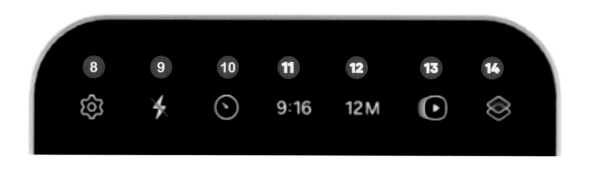

⑧ 카메라앱 설정

　 자세한 내용은 p16 참조

⑨ 플래쉬 기능

⑩ 타이머 기능 - 셀카 촬영할 때 버튼을 누르고 몇 초 뒤에 찍힘

⑪ 사진 가로 세로 비율

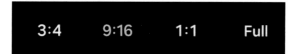

⑫ 사진 용량 크기 - 숫자가 높을수록 사진의 화질이 좋아짐

⑬ 모션포토 - 움직이는 사진, 촬영과 동시에 짧은 영상을 함께 녹화

⑭ 필터 기능

　 사진 촬영 시 다양한 효과를 적용하여 더욱 아름답고 개성 넘치는 사진을 연출

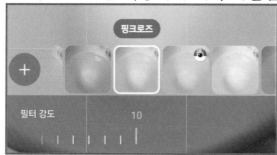

2) 다양한 사진 촬영 방법

방법 1. 촬영 버튼 누르기
초점을 맞출 부분 누르고 촬영 버튼 누르기

방법 2. 음성 명령
'스마일' '김치' '찰칵'이라고 말하기 (아래와 같이 설정 필요)

①
사진촬영 화면 왼쪽 위
[설정] 아이콘 누르기

②
[촬영방법] 메뉴 누르기

③
[음성 명령] 활성화

방법 3. 손바닥 보여주기

 참고 셀카모드에서만 가능

① 사진촬영 화면 왼쪽 위
[설정] 아이콘 누르기

② [촬영방법] 메뉴 누르기

③ [손바닥 내밀기] 활성화

방법4. 음량 버튼 사용하여 촬영하기

① 카메라 설정에서
[촬영 방법] 누르기

② [음량 버튼 누르기] 누르기

③ [사진 및 동영상 촬영] 누르기

음량 버튼을 살짝 누르면
한 장만 찍히고
꾸욱 오래 누르면 연속촬영이 됨

[화면 확대/축소] 선택하면
음량 버튼으로 줌인, 줌아웃 가능
[소리 음량 제어] 선택하면
음량 버튼으로만 사용

14

방법 5. 촬영버튼 밀어 연속 촬영하기

연속촬영(버스트샷이라고도 함)
촬영버튼을 밀거나 음량버튼 누르기

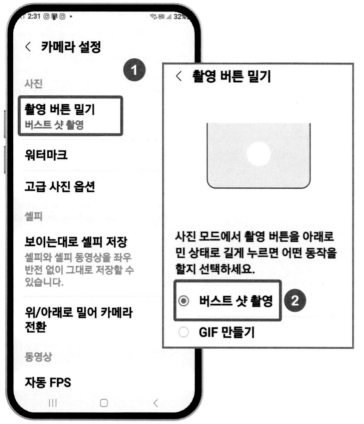

①
카메라 설정에서
[촬영 버튼 밀기] 누르기

②
[버스트 샷 촬영] 누르기

[GIF 만들기] 선택하면
 짧은 동영상을 만들어 줌

3) 카메라앱 설정에서 활성화 시켜두면 좋은 기능

- 문서및 텍스트 스캔 : 카메라 앱으로 촬영하면 문서만 스캔해주거나 텍스트만 추출해줌

- QR 코드 스캔 : 따로 QR 카메라 앱을 사용할 필요 없이 카메라 앱으로 코드가 인식된다

- 촬영 구도 추천 : 가장 좋은 구도로 사진을 찍을 수 있음

- 대상 추적 AF : AF(Auto Focus) 기능은 움직이는 피사체에 자동으로 초점을 맞춰 선명하게 촬영할 수 있도록 도와주는 강력한 기능

- 수직/수평 안내선 : 촬영 화면에 가로와 세로 선이 표시됩니다. 이 선들은 실제 카메라의 수평과 수직 방향을 나타냅니다.

- 위치 태그 : 촬영 장소 정보를 자동으로 추가하는 갤럭시 스마트폰 카메라 앱의 유용한 기능 스마트폰의 GPS 기능을 사용하여 촬영 당시 위치 정보를 파악

- 진동 피드백 : 터치, 버튼 누름, 알림 등 다양한 상황에 진동을 통해 응답을 제공하는 기능. 시각 장애인 사용자들에게 편리한 정보 전달 방식을 제공

3. 동영상 촬영

①

동영상 촬영 버튼

②

자동 프레이밍 버튼 : 동영상을 촬영할 때 대상이 프레임 안에 들어오게 자동으로 줌 기능 활성화 하여 영상구도 잡아줌

③

슈퍼스테디 버튼 : 동영상 촬영 시 흔들림을 최소화 하여 선명하고 안정적인 영상을 촬영하도록 도와줌
카메라 설정 > 설정유지 > 슈터스테디 활성화해두기

④

동영상 화질 선택

⑤

영상 촬영 도중에 화면 캡쳐하기

⑥

일시정지. 누르면 일시 정지했다가 다시 누르면 계속 영상이 이어서 촬영됨

⑦

촬영 종료

⑧

동영상 촬영시간 표시

4. 인물사진 촬영

① [인물사진] 버튼누르기

② 필터 아이콘 눌러 사용할 필터 선택하기

<인물 사진 필터 종류>

- 블러 : 배경흐림 효과
- 스튜디오 : 다양한 조명 효과를 적용하여 실내, 야외, 저조도 환경에서도 전문가 수준의 인물 사진 촬영
- 하이키모노 : 흰색 배경으로 밝고 깨끗한 흑백 이미지 연출. 밝은 조명에서 사용하는 것이 좋다.
- 로우키모노 : 검정색 배경으로 어둡고 극적인 이미지 연출. 어두운 조명에서 사용하는 것이 좋다.

- 컬러배경 : AI 기술로 자동으로 배경을 컬러로 연출한다.
- 컬러포인트 : AI 기술을 사용하여 피사체의 얼굴을 분석하고 자연스럽게 조명을 설정합니다. 마치 조명 전문가가 직접 조명을 설정한 것처럼, 피사체의 매력을 최대한 살리는 조명을 연출해서 촬영해줌

[블러]

[하이키 모노]

[로우키 모노]

[칼라배경]

5. AR 이모지 스티커 만들기

AR은 'Augmented Reality'의 약자로 '증강 현실'이라는 뜻.
현실 세계에 가상의 정보를 덧씌워 더욱 재미있고 신기한 체험을 하게 해준다.
이곳에서 나만의 개성있는 스티커를 만들어 즐겁게 소통할 수 있다.

1) 이모지 스티커 만들기

① 카메라앱 더보기 메뉴
들어가서 상단에 있는
AR존 누르기

② [AR 이모지 스티커]
스티커 누르기

③ [카메라로 이미지 만들기]
선택하면 즉석에서 촬영 가능
[이미지로 이모지 만들기]
선택하면 갤러리에 있는
사진으로 가능
둘 중 하나 선택하기

④ 원안에 얼굴 맞추기
⑤ 원하는 체형 선택
⑥ [다음] 버튼 누르기

⑦ 헤어스타일 부터
신발까지 하나 하나
선택해서 나만의 스타일만들기

⑧ [저장] 누르기

이렇게
AR 이모지 스티커가
만들어진 것을 확인할 수 있음

2) 이모지 스티커 사용하는 방법

① 문자입력창에서
키보드 툴바에 있는
스마일 아이콘 누르기

② 바뀐 툴바에서
AR 이모지 아이콘 누르기

③ AR존 이미지 아이콘 중에서
하나 선택한 후 전송 누르기

④ 채팅창에서 전송된 스티커
확인

제2장
갤러리

갤러리 앱이란 ?

소중한 추억을 간직하는 나만의 보물창고!

보관기능 : 사진과 동영상은 촬영 후 갤러리 앱에 보관됩니다. 원하는 사진과 동영상을 쉽게 찾아보고, 화면을 확대해서 생생하게 감상할 수 있습니다.

관리기능 : 사진이나 동영상을 공유하거나 분류하고 삭제하는 등 모든 관리를 갤러리 앱에서 손쉽게 해결할 수 있습니다.

편집 기능 : 갤러리 앱은 사진과 동영상 편집 기능을 제공합니다. 밝기, 색감, 대비 등을 조절하거나, 필터를 적용하여 나만의 감성을 더해보세요. 자르기, 회전, 크기 조절 등 기본적인 편집도 손쉽게 가능합니다.

주의 사항 : 개인정보가 포함된 사진은 안전하게 보관하고, 공용장소에서는 타인의 시선을 주의하세요. 불법 유출된 사진은 절대 다운로드하거나 공유하지 않도록 주의해야 합니다.

1. 갤러리 앱 실행 및 화면 구성

① 홈화면에서 갤러리앱 아이콘 누르기

② 사진 화면 갤러리앱 아래에 있는 [사진] 버튼을 누르면 오늘 찍은 것부터 날짜 순으로 사진과 동영상을 보여준다.

③ 앨범 화면 갤러리앱 아래에 있는 [앨범] 버튼을 누르면 분류되어있는 앨범 순서로 화면에 뜬다. 앨범을 누르면 사진과 동영상을 볼 수 있다.

④ 스토리 화면 [스토리] 버튼을 누르면 갤러리에서 만들어 주는 동영상을 볼 수 있다.

2. 사진 관리

1) 공유하기

① 갤러리앱에서 사진을 1장만 선택하여 2초 이상 꾸욱 누르면 사진 왼쪽 위에 체크박스가 등장하고 맨 아래 메뉴가 나타남

체크박스를 눌러 사진을 여러장 선택한 뒤 한번에 공유하고 삭제할 수 있다.

사진 선택 전   사진 선택 후

② 사진 한 장만 선택

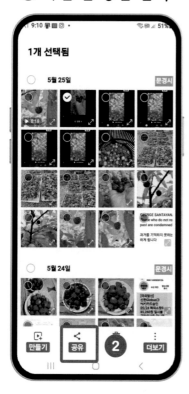

③ 사진 여러장 선택

④ 공유할 앱 누르기

2) 즐겨찾기 기능 사용하기

- 갤러리 앱의 '즐겨 찾기'는 다른 분류 폴더와 다르다. 중요하거나 자주 보는 사진을 직접 선택하고 그 파일만 모아둔 뒤, 빠르게 찾아 볼 수 있다.
- 기종에 따라 '즐겨 찾기' 폴더 기능이 제공되지 않을 수 있습니다.

①

갤러리에서 사진을 1장 선택하여 누른다.
확대된 사진 왼쪽 하단 하트[♥]아이콘을 눌러 사진을 즐겨찾기에 추가

②

갤러리 하단 [앨범]선택 후 즐겨찾기 앨범을 누르면 하트를 눌러 즐겨찾기 해둔 사진만 모아서 볼 수 있다.

3) 삭제하기

①

삭제할 사진 선택하여 2초 이상 꾸욱 누르기

②

아래 메뉴에 있는 [삭제] 버튼 누르기

③

[휴지통으로 이동] 누르기

4) 삭제한 사진 복원하기

- 갤러리에서 삭제한 사진은 휴지통으로 이동된다. 휴지통으로 이동된 사진은 이 곳에서 따로 보관 유지 된 뒤 30일이 지난 후에 완전히 삭제된다.

① 갤러리앱 들어가서 오른쪽 아래 [메뉴] 누르기

② [휴지통] 누르기

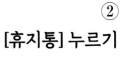

③ 복원할 사진을 찾고 꾸욱 눌러 선택

④ 화면 왼쪽 하단 [복원]을 누르면 사진이 갤러리로 복원 됨

5) 앨범 만들고 사진을 앨범으로 이동하기

- 앨범만들기를 이용하여 사진을 종류별로 분류하면 효율적으로 관리할 수 있다

(1) 앨범 보기 화면에서 앨범 만들기

① 앨범 화면 오른쪽 상단 [+] 누르기

② [앨범] 항목 누르기

③ 새로운 앨범이름 입력하기

④ [추가] 버튼 누르면 새로운 앨범 생성됨

(2) 사진을 앨범으로 이동하기

① 이동할 사진을 2초이상 꾸욱 누르기

② [더보기] 버튼 누르기

③ [앨범으로 이동] 누르기

④ 사진을 이동시킬 앨범 찾아 누르기

⑤

이동할 앨범이 없을 경우
화면 오른쪽 위에 있는
[만들기] 버튼 누르기

⑥

새로운 앨범이름
입력하기

⑦

[추가] 버튼 누르면 새로운
앨범이 생성되면서 이동됨

6) 상세정보 보기

사진을 선택하고 상세정보 아이콘을 누르면 그 사진을 찍은 날짜와 시간,
저장위치, 사진용량, 장소 등 자세한 정보를 알 수 있다

3. 사진편집

1) 사진편집 화면 들어가기

① 갤러리앱에서 편집하려는 사진을 선택해서 누르기

② 화면 아래에 있는 연필모양 아이콘 누르기

③ 사진편집 창이 뜬다

2) 사진편집 기능

① 사진 좌우 반전
② 사진 회전
③ 가로 세로 비율 변경
④ AI 기능으로 사진 속 대상 이동과 삭제
⑤ 사진 기울기 조절 / 아래 눈금으로 조절
⑥ 사진 자르기

⑦ 사진 분위기 연출
⑧ 밝기, 색상, 대비, 선명도 등을 세밀하게 조절
⑨ 사진에 그리기, 스티커 텍스트를 추가하고 글꼴, 크기, 색상 등을 설정

3) 사진에 그리기, 스티커로 꾸미기, 글씨 쓰기

① 스마일 아이콘 누르기

② [그리기] 누르기
손으로 그리기를 할 수 있음

③ [스티커] 누르기
다양한 스티커로 꾸밀 수 있음

④ [텍스트] 누르기
글자를 입력할 수 있음

(1) 사진에 그리기

① [그리기] 누르고
필기도구 선택하기

② 필기도구의 종류, 굵기,투명도,
색상 선택 후 X 누르고 그리기

③ 지우개 또는 이전으로 돌아가기
아이콘 사용하여 지울 수 있음

(2) 사진에 스티커 붙이기

① [스티커] 누르기

② 원하는 스티커 상위메뉴 선택하여 누르기

③. 사용할 스티커 선택하여 누르기

④ < [이전으로 돌아가기] 누르기

⑤ 위치 이동, 크기 변경 가능

(3) 사진에 글씨쓰기

① [텍스트] 누르기
② 키보드가 뜨면 글씨 입력
③ 글씨 꾸미기

정렬 선택	글꼴 변경	글자색, 배경색 변경	터치할 때 마다 글자배경없음, 투명배경, 컬러배경 전환

① 글씨 크기 조절하기

② 색상 버튼을 눌러 파레트에서 원하는 색 누르기

③ [완료] 누르기

④ 글상자를 손으로 드래그하여 위치 변경 가능
꼭지점을 누르고 드래그 하여 크기 변경 가능

⑤ [저장] 누르면 갤러리에 저장. 원본에 덧씌워짐

⑥ 더보기 눌러 [다른 파일로 저장] 권장
[원본 복원] 누르면 편집 이전 상태로 되돌아 감

4) AI 지우개

- AI 지우개 기능을 이용하여 사진 속 대상 일부를 지울 수 있다.

① 갤러리앱 사진 편집 기능에서 더보기(::) 누르기

② [AI 지우개] 누르기

③ 사진 속에서 지울 대상을 손으로 누르기

④ 지울 대상이 정확하게 선택 되면 [지우기] 누르기

⑤ 깨끗하게 지워진 것을 확인하고 [완료] 누르기

5) 영역 자르기 (배경제거)

- 사진 속에 있는 대상을 선택해서 잘라낼 수 있다. 배경제거 효과와 같음

① 갤러리앱 사진 편집 기능에서 더보기(⋮⋮) 누르기

② [영역 자르기] 누르기

③ 사진 속에서 남겨둘 대상을 손으로 누르기

④ 남겨둘 대상이 정확하게 선택이 되면 [다음] 누르기

⑤ 배경이 모두 제거되고 선택한 대상이 정확하게 남겨졌는지 확인하고 [완료] 누르기

4. 만들기 기능

1) GIF 만들기

- 사진 여러장을 결합하여 만든 짧은 영상을 GIF라고 한다

GIF 만들기에서도 다양한 편집기능을 사용할 수 있어요. (P. 32 참조)

① 편집하려는 사진 꾸욱 2초 이상 누르기

② 사진 왼쪽 위에 동그라미가 생기면 여러장 선택하고 아래에 [만들기] 누르기

③ 만들기 메뉴에서 [GIF] 아이콘 누르기

④ [저장] 누르면 갤러리 GIF 폴더에 저장됨

⑤ [공유] 누르기

⑥ 카카오톡 누르기

⑦ 카톡에서 공유할 사람이나 단체방 찾아 누르기

⑧ 오른쪽 위에 있는 [확인] 누르기

2) 콜라주 만들기

- 콜라주란 여러 사진을 합쳐서 하나의 사진으로 만드는 것을 말한다

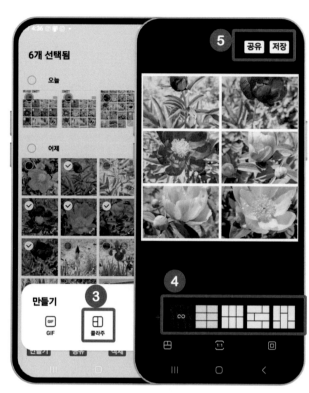

①번과 ②번은 p35 'gif 만들기'와 동일

③

만들기 메뉴에서 [콜라주] 아이콘 누르기

④

다양한 모양의 콜라주 디자인 중
마음에 드는 디자인 선택하기

⑤

디자인 선택 후 [공유] 또는 [저장] 버튼
누르기. 저장을 누르면 바로 저장됨.
공유를 누를 경우 앞 페이지 참조

더욱 개성있게 만드는 꿀팁!

① 모서리 둥글게 만들기 조정
② 테두리 두께 조정
③ 테두리 색상 변경

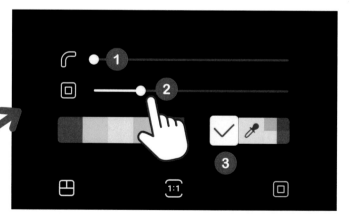

- 콜라주는 사진 6장까지 선택 가능
- 콜라주 디자인은 왼쪽으로 밀면 더 많은 디자인을 볼 수 있음

제3장
시계

시계 앱이란 ?

시계앱은 시간을 디지털 또는 아날로그 형태로 표시합니다. 삼성 스마트폰에 내장되어 있습니다. 알람, 세계시간, 스톱 워치, 타이머 등의 기능을 포함하고 있으며, 이외에도 다양한 디자인의 시계 테마를 선택할 수 있고, 홈 화면에 시계 위젯을 추가하여 바로 시간을 확인할 수 있습니다.

1. 시계 앱 실행하기

1) 홈 화면에서 시계 앱 아이콘 찾아 누르기

2) 앱스 화면에서 ' 시계' 검색 후 아이콘 누르기

2. 알람 설정하기

1) 알람 설정하기

① 시계 앱 누르기

② 왼쪽 아래
[알람] 누르기

③ 오른쪽 위에
[+] 누르기

<아래 기능을 하나씩 설정해 봅시다.>

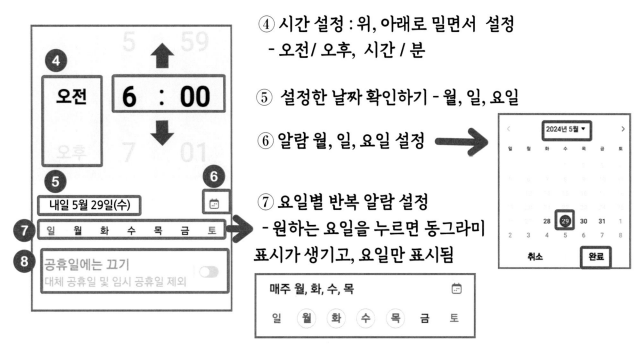

④ 시간 설정 : 위, 아래로 밀면서 설정
  - 오전 / 오후, 시간 / 분

⑤ 설정한 날짜 확인하기 - 월, 일, 요일

⑥ 알람 월, 일, 요일 설정

⑦ 요일별 반복 알람 설정
  - 원하는 요일을 누르면 동그라미
  표시가 생기고, 요일만 표시됨

⑧ 활성화하면 공휴일에는 알람이 꺼짐

⑨ [알람이름] 입력

⑩ [알람음] 설정 화면
알람 벨소리를 선택하고
볼륨 크기 조절

⑪ [진동] 설정 화면
진동 종류 선택하고
진동의 강, 약 선택

⑫ [다시 울림] 설정 화면
알람 울림시간
간격과 반복 횟수 선택

⑬ [알람배경] 원하는 배경 선택 [완료] 누르기
갤러리에서 원하는 사진 선택 가능
(one ui 6.0 이상 버전에만 있음)

⑭ 모두 설정하고 [저장] 누르기

2) 알람 삭제하기

① 삭제하고자 하는
알람 꾸욱 누르기

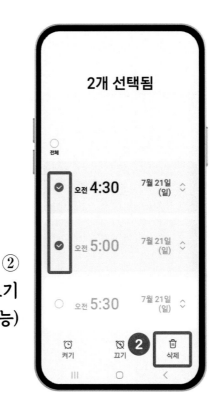

② [삭제] 누르기
(여러 개 선택 가능)

③ 삭제된 알람 확인하기

 알람 삭제하는 다른 방법
더보기 > 편집 > 삭제 하기

3. 세계시각

- ## 도시 추가하기

[세계시각] 누르기
한국 표준시 확인
① [+] 버튼 누르기

② [돋보기] 누르기

③ [원하는 도시] 이름을 직접 입력
또는 오른쪽 상단 [마이크] 눌러
음성 입력

④ [추가]누르기

⑤ 추가된 도시 확인

4. 스톱워치

1) 스톱워치 시작하기

① [시작] 버튼 누르기

② 끝난 경우 [중지] 누르기

여기서 [중지]는 일시정지를 의미

③ 중지했던 스탑워치를 이어서 측정 할 때

④ 처음부터 다시 측정 하고 싶을 때 사용

2) 구간기록 사용하기

<구간기록이란?>

- 시간 측정 중간 과정마다 걸린 시간을 측정하여기록하는 것

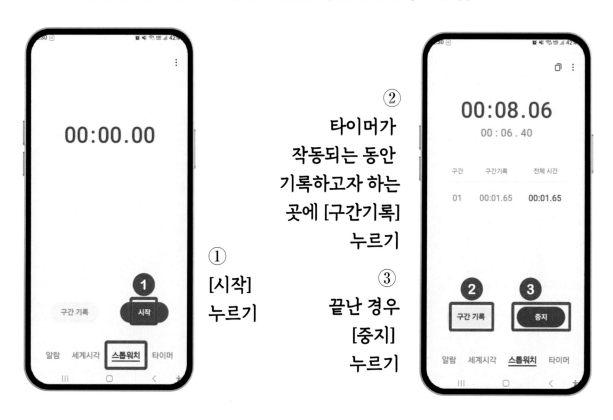

① [시작] 누르기

② 타이머가 작동되는 동안 기록하고자 하는 곳에 [구간기록] 누르기

③ 끝난 경우 [중지] 누르기

- 구간 기록은 측정하는 동안 여러 번 누를 수 있으며, 아래에서 위로 횟수가 올라감

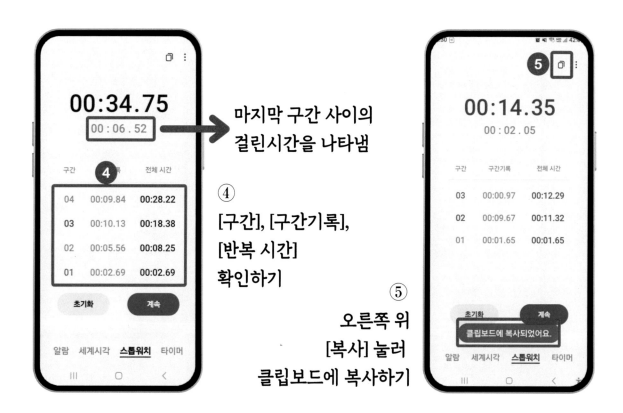

마지막 구간 사이의 걸린시간을 나타냄

④ [구간], [구간기록], [반복 시간] 확인하기

⑤ 오른쪽 위 [복사] 눌러 클립보드에 복사하기

5. 타이머

1) 타이머 사용하기

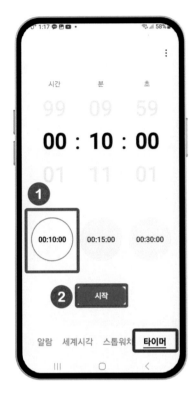

① 측정하고자 하는
시간 동그라미 누르기

② [시작] 누르기

③ 시간이 카운터 되는 중
[일시정지]를 눌러
잠시 멈출 수 있음

타이머가 끝나면 알람이 울리며 해제/다시시작 선택가능

④ [해제] 눌러 타이머 사용 끝내기

타이머가 진행되는 중에
홈화면으로 나가더라도
타이머는 보임.
화살표를 누르면 다시
큰화면으로 돌아감

위의 타이머를 한번 더
누르면 더 작게 표시됨

2) 기본 타이머 추가, 편집, 삭제

(1) 기본 타이머 추가

① [더보기] ⋮ 누르기

② [기본 타이머 추가] 누르기

③ 시간, 분, 초 순서로 추가

④ 타이머 이름 넣기

⑤ [추가] 누르기

(2) 기본 타이머 삭제하기

< 방법 1 >

①
[더보기] 누르기

②
[기본 타이머 편집]
누르기

③
삭제할 타이머 선택
④
[삭제] 누르기

< 방법 2 >

①
삭제할 타이머를
꾸욱 누르기

②
[삭제] 누르기

삭제된 타이머
확인하기

(3) 기본 타이머 편집

- 입력된 타이머의 시간, 분, 초나 이름을 수정할 때 사용

< 방법 1 >

①

[더보기] 누르기

②

[기본 타이머 편집]
누르기

③

편집할 타이머 선택

④

[편집] 누르기

⑤

편집할 시간, 분, 초
변경하기

⑥

타이머 이름 입력
⑦ [저장] 누르기

편집한 타이머 확인

< 방법 2 >

① 편집할 타이머
꾸욱 누르기

②
[편집] 누르기

③ 편집할 시간, 분, 초
변경하기

④ 타이머 이름 입력
⑤ [저장] 누르기

편집한 타이머 확인

6. 시계 설정

① 알람탭
② [더보기] ⋮ 누르기
③ 설정 누르기

제4장
캘린더

캘린더 앱이란 ?

스마트폰에 설치되어 있는 기본 앱 중 하나로 따로 설치할 필요 없이 아이콘을 찾아 바로 사용할 수 있습니다.

캘린더를 이용하면 달력에 일정을 추가하고 반복되는 스케줄을 관리할 수 있습니다. 음력 날짜를 확인할 수 있으며 일정이 있는 날은 리마인드앱으로 알림을 줘서 일정을 잊지 않도록 도와줍니다.

1. 캘린더앱 실행하기

1) 홈 화면에서 캘린더앱 아이콘 찾아 누르기

2) 앱스 화면에서 ' 캘린더' 검색 후 아이콘 누르기

2. 캘린더 메뉴 살펴보기

1) 연간, 월간, 주간, 일간 달력보기

 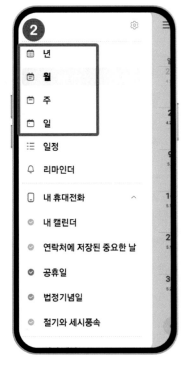

①

왼쪽 상단 ☰ 누르기

②

년, 월, 주, 일 중 선택하기

③

화면을 좌우로 밀어 전달, 다음 달로 이동 (연간, 주간, 일간 상태에서도 마찬가지)

연간	월간	주간	일간

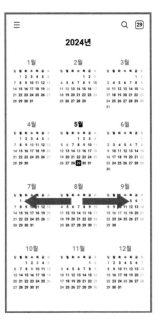 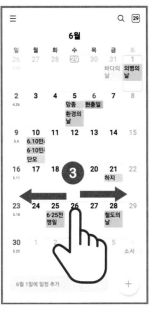 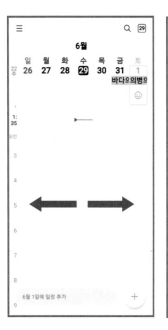 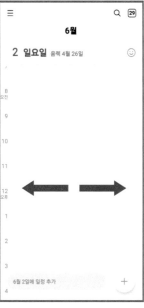

2) 일정 보기

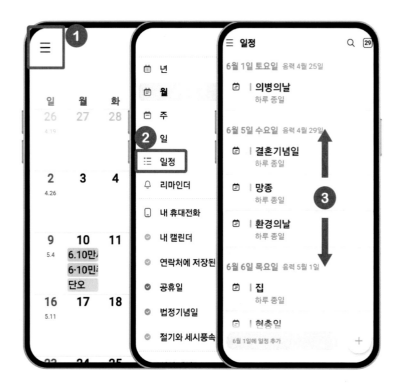

①
왼쪽 상단 ☰ 누르기

②
[일정] 누르기

③
손가락을 위아래로 쓸어 이전 일정, 다음 일정으로 이동하며 살펴보기

3) 표시하고 싶은 일정 종류 선택하기

①
왼쪽 상단 ☰ 누르기

②
캘린더에 표시하고 싶은 일정 종류들만 체크하기

3. 일정 추가하기

방법 1.   ⊕   눌러 반복하기 (매년 반복되는 일정)

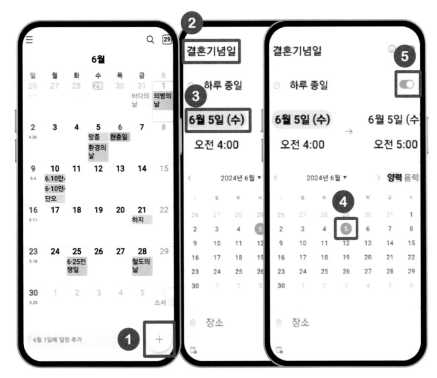

①	오른쪽 하단 ＋ 누르기
②	일정 제목 입력
③	날짜 누르기
④	달력에서 날짜 선택
⑤	하루종일 버튼 켜기

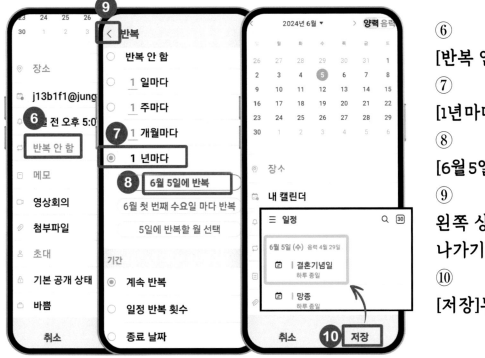

⑥	[반복 안 함] 누르기
⑦	[1년마다] 선택
⑧	[6월 5일에 반복]누르기
⑨	왼쪽 상단 〈 눌러 나가기
⑩	[저장]누르기

방법 2. 날짜 눌러 추가하기 (매주 반복되는 일정)

① 일정 추가할 날짜 누르기

② 일정 제목 입력

③ [하루 종일] 활성화 켜기

④ 색깔 동그라미 눌러 일정을 표시하는 색깔 선택하기

⑤ [반복 안 함] 누르기

⑥ [1주마다] 선택하기

⑦ [종료날짜] 선택하기

⑧ 종료할 날짜 선택하기

⑨ < 눌러 나가기

4. 일정 알림 설정하기

• 일정을 잊지 않도록 미리 알림 설정하기

① 알림 설정할 일정 누르기

② [편집] 누르기

③ [알림] 누르기

④ [사용중] 눌러
　활성화 하기

⑤ 방법 1. 일정을 미리 알려줄 시간 선택
　방법 2. 알림 시간을 직접 입력
　[+ 직접 설정] 누르고 손가락을 위 아래로
　움직여 알림을 알려 줄 날짜와 시간 선택하기

⑥ 〈 　눌러 나오기

⑦ [저장] 누르기

5. 일정 찾아 공유, 편집, 삭제하기

1) 일정 찾기

방법 1.

① 오른쪽 상단 🔍 누르기

② [검색] 누르기

③ [결혼기념일] 입력

④ 검색 된 결혼기념일 일정 누르면 일정 편집 화면으로 이동함

방법 2.

① 달력에 보이는 일정 누르기

② 결혼기념일 일정을 누르면 일정 편집 화면으로 이동함

2) 일정을 카톡으로 공유하기

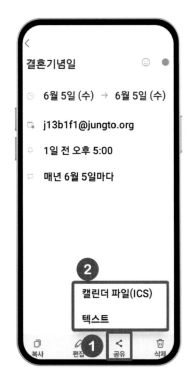  

텍스트로 공유했을 때 상대방이 받아보는 메세지

결혼기념일
2024년 6월 5일 (수)

캘린더 파일로 공유했을 때 상대방이 받아보는 메세지

캘린더_003.ics
유효기간: ~2024.6.14
용량: 5.00 KB

캘린더 파일로 공유할 경우
상대방이 받은 일정 메세지를 클릭 후
연결프로그램을 캘린더로 선택해서
캘린더에 일정을 바로 저장 가능.

①
하단   ⋦공유   누르기
②
공유형식을 [캘린더 파일] 과
[텍스트] 둘 중 하나 선택
③
카카오톡 앱 선택
④
카카오톡 채팅방 선택

3) 일정 편집하기

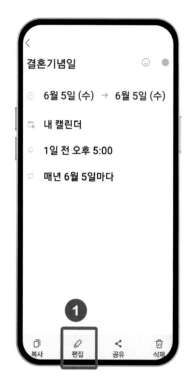 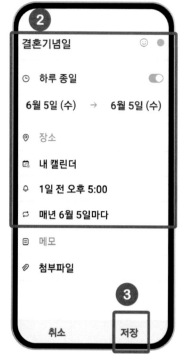

① 하단 [편집] 누르기

② 원하는 세부 내용 눌러 수정하기

③ [저장] 누르기

4) 일정 삭제하기

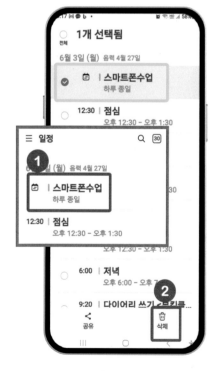 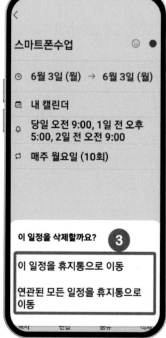

① 삭제할 일정 꾸욱 누르기

② 하단 [삭제] 누르기

③ 이 날 일정 하나만 삭제 시 [이 일정을 휴지통으로 이동] 누르기

반복된 일정을 모두 삭제 시 [연관된 모든 일정을 휴지통으로 이동] 누르기

제5장
빅스비

1. 빅스비란?

　빅스비(Bixby) 는 2017년 3월 30일 공개된 삼성 전자의 인공지능 플랫폼입니다. 무엇이든지 말하는 대로 이뤄지는 마법의 옛날 주문 "빅스비"에서 가져왔다고 합니다.

　스마트폰에 직접 말하거나 문자를 입력해 사용자가 원하는 기능을 실행하거나, 정보를 보여줍니다. 특히 손을 대지 않아도 음성으로 명령을 할 수 있는 기능은 전화가 울리거나 보고 싶은 기사를 음성으로 듣거나 그 외 알람이 울렸을 때 쉽게 명령 할 수 있어 보다 편리한 디지털 생활을 도와줍니다. 여러분도 꼭 사용해 봐야겠죠?

 빅스비 vs 빅스비 비전

빅스비

빅스비는 제품 사용을 도와주는 사용자 인터페이스입니다.

빅스비에게 직접 말하거나 텍스트로 입력하세요. 사용자가 원하는 기능을 실행하거나 정보를 보여줍니다. www.samsung.com/bixby ☑ 에서 더 자세한 정보를 확인할 수 있습니다.

　빅스비는 일부 언어만 지원하며, 지역에 따라 지원하지 않을 수 있습니다.

빅스비 비전

빅스비 비전은 이미지 인식을 기반으로 다양한 기능을 제공하는 서비스입니다. 이미지를 인식해 원하는 정보를 검색할 수 있으니, 빅스비 비전의 유용하고 재미있는 기능을 사용해 보세요.

- 인식한 이미지의 크기, 포맷 및 해상도에 따라 빅스비 비전 기능을 지원하지 않거나, 빅스비 비전의 검색 결과가 정확하지 않을 수 있습니다.
- 삼성전자는 빅스비 비전을 통해 제공하는 상품 정보에 대해 별도의 책임을 지지 않습니다.

■ 빅스비 보이스 지원 모델 안내

계열	닉네임	계열	닉네임
폴더블	갤럭시 Z 폴드5, Z 플립5, Z 폴드4, Z 플립4, Z 폴드3, Z 플립3, Z폴드2, Z 플립 5G, 폴드 5G, Z 플립	노트계열	갤럭시 노트20 시리즈, 노트10 시리즈, 노트9 시리즈, 노트8 시리즈
S계열	갤럭시 S24 시리즈, S23 FE, S23 시리즈, S22 시리즈, S21 시리즈, S20 시리즈, S10 시리즈	기타 계열	갤럭시 점프3, 퀀텀4, A34 5G, A33 5G, A53 5G, A52 5G, 퀀텀2, A 퀀텀, A51 5G, A80, A90 5G, A50, A9 Pro, A9 2018, A8 Star

출처 : 삼성전자

2. 빅스비 기본 설정하기

1) 삼성 계정 설정하기

빅스비를 사용하기 위해서는 삼성 계정이 있어야 함.

① 설정
② 계정 및 백업
③ 계정관리
④ 계정추가
⑤ 삼성계정
⑥ 메일 주소, 비밀번호 입력하기
⑦ 계속, 동의 누르기
⑧ 지문 또는 전화번호 인증

⑥~⑧ 부분은 개인정보보호로 화면을 넣지 못하므로 순서에 따라 천천히 입력하면서 진행하시기 바랍니다.

⑨ 설정
⑩ 유용한 기능
⑪ 빅스비
⑫ 계속
⑬ 삼성계정 확인

참고
• 동의 시 필수는 꼭 해야 하며, 선택은 안 해도 가능
• 위 사항은 삼성계정 유, 무와 스마트폰 기종에 따라 조금씩 다를 수 있음.

2) 빅스비 설정 찾기

방법 1. 설정 -> 유용한 기능 -> 빅스비

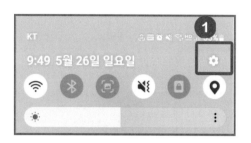

① 홈화면 위에서 아래로 스크롤, 오른쪽 상단 설정 아이콘 누르기

② 설정에서 위로 스크롤 후 [유용한 기능] 누르기

③ [빅스비] 누르기

방법 2. 설정 -> 돋보기 눌러 빅스비 검색

① 돋보기 누르기

② 빅스비 검색

3) 빅스비 호출 설정하기

-> 설정 > 유용한 기능 > 빅스비 에서 시작하기

① [빅스비 호출] 누르기

② [사용 중] 활성화

③ [하이 빅스비]와 [빅스비] 중 원하는 호출어 선택

④ [내 목소리에 응답하기] 활성화하기

⑤ [미디어 재생 중에 호출하기] 상황에 따라 선택하여 활성화

이 기능을 켜면 오디오가 재생 중일 때 Google 어시스턴트가 정상적으로 작동하지 않을 수 있습니다.

취소　　**켜기**

 구글 어시스턴트를 자주 사용시에는 활성화하지 않는 걸 추천합니다.

4) 빅스비 언어 및 음성 스타일 설정하기

- 설정 > 유용한 기능 > 빅스비 에서 시작하기

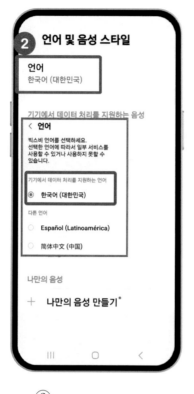

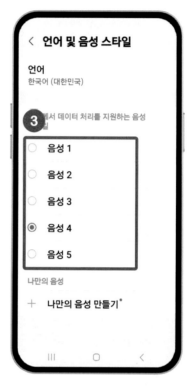

①
[언어 및 음성 스타일]
누르기

②
[언어] 확인
다른 언어 선택도
가능

③
[음성 1~5] 를 눌러
직접 들어보고
음성 선택하기

[빅스비 설정] 에서
(⊘ 오른쪽 나침판)을
누르면 더 많은 명령어와
빅스비 활용법을 알 수
있음

3. 빅스비 사용하기

- 스마트폰 기능을 직접 음성 또는 텍스트를 입력하여 명령할 수 있음.

① 홈화면(또는 꺼진 화면)에서 명령어("하이빅스비"또는 "빅스비") 말하기

② 빅스비가 뜨면 명령어 말하기 (예) "1시간 알람 해줘"

원하는 명령을 글로 입력도 가능 (예) "10분 타이머"

4. 일상 기능 활용하기

1) 소리, 진동, 무음 설정하기

①
빅스비를 부른 후
(예시)
"소리 켜줘!"
"진동 켜줘!"
"무음 해줘!"

②
음성 안내와 함께
설정 앱이 뜨며
결과를 보여줌

2) 알람 설정 하기

①
빅스비를 부른 후
(예시)
"내일 아침 6시 알람해줘"
"O월 O일 O시 알람켜줘"
"30분 후 알람 맞춰줘."
"이번주 O요일 O시
　알람 해줘"

②
시계 앱이 뜨며 알람
설정 결과를 보여줌

3) 메모 작성하기

①
빅스비를 부른 후
(예)
"주차장 지하 2층 610번
메모해 줘!"

②
메모는 삼성 노트로
바로 연결되어 저장,
확인 할 수 있음

4) 카메라,갤러리 사용하기

①
빅스비를 부른 후
(예)
"5초 뒤 사진 찍어줘~"
"10초 뒤 셀카 찍어줘~"
"화면 캡처해줘!"
"5월에 찍은 사진 찾아줘~"

② 타이머 설정 시
타이머가 작동되면서
사진이 찍힘

5. 전화 및 메세지 관리하기

1) 전화 걸고 받기

(1) 전화 걸기

① 빅스비를 부른 후

"송가인에게 전화해줘 ~"
"(전화번호를 직접 부른 후)
전화해 줘~"도 가능함.

② 자동으로 전화 걸어줌
[취소]를 누르거나
"취소해줘" 명령하면 취소됨.

(2) 전화 받기

① 빅스비를 부른 후

"전화 받아"
"전화 끊어"

빅스비 설정에서 [호출없이 말하기] 를 활성화
하면 빅스비를 부를 필요없이 바로 "전화 받아"
"전화 끊어" 하면 됨
<목차 심화 QR 빅스비 설정 참고>

2) 메세지 보내기

① 빅스비를 부른 후 (예시) "송가인에게 잘 받았다고 메시지 보내줘"

② [전송] 이나 [취소]를 누르거나 "전송해줘" 또는 "취소해줘" 라고 말한다

3) 연락처 검색하기

① 빅스비를 부른 후 (예시) "오현수쌤 전화번호 알려줘."

연락처 확인하기

6. 인터넷 검색 및 정보 확인하기

1) 뉴스 확인하기

① 빅스비를 부른 후
(예시)
"오늘의 주요 뉴스 알려줘 ~"

② 빅스비에서 제공하는
두가지 앱 중에서
선택하여 듣기

 뉴스를 듣는 도중 멈추려면 설정> 유용한 기능 > 빅스비 > 빅스비호출 >
[미디어 재생 중에 호출하기]를 활성화 하면 됨
잠금화면에서 "뉴스 알려줘~"했을 경우 뉴스 재생 멈춤 버튼이 있음.

2) 날씨 정보 확인하기

3) 음악 듣기

빅스비를 부른 후
(예)
"오늘 서울 날씨 알려줘!"
"시간대별 날씨 알려줘!"
"이번주 날씨 알려줘!"

빅스비를 부른 후
(예)
"유튜브에서 임영웅 노래
틀어줘"

제6장
삼성노트

삼성노트 앱이란 ?

일상생활에서 펜과 종이를 사용하여 필기를 하거나 일기를 쓰는 것처럼, 삼성 노트 앱은 스마트폰에서도 이러한 작업을 간편하게 수행할 수 있도록 해주는 도구입니다.

이 앱을 잘 활용하시면 자신의 일상을 더욱 효율적으로 관리하고, 필요한 정보나 아이디어를 손쉽게 저장하고 공유할 수 있어요.

1. 삼성노트앱 실행과 화면구성 익히기

1) 삼성노트 앱 실행하기

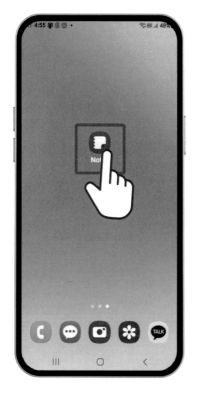

방법 1
홈화면에서
삼성노트앱 아이콘 누르기

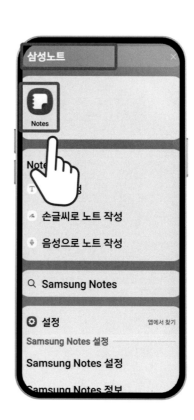

방법 2
앱스화면 검색창에서
삼성노트 검색 후
앱 아이콘 누르기

2) 화면구성 익히기

삼성노트 앱 설치 후 초기화면

① [메뉴] 버튼
삼성노트앱에서
사용할 수 있는
다양한 메뉴가 있다

② 저장공간에 있는
PDF 파일을 불러와
추가편집 가능
수정은 안됨

③ 새 노트 작성 아이콘

- 모든 노트 : 삼성노트 앱에 있는 모든 노트를 보여준다

- 즐겨찾기 : 즐겨찾기 설정을 해둔 노트를 보여준다

- 잠긴 노트 : 보안을 위해 잠금설정을 해둔 노트를 보여준다

- 공유 노트 : 다른 사람과 공유하고 있는 노트를 보여준다

- 휴지통 : 삭제한 노트를 보여줌. 30일 보관 후 완전 삭제 된다

- 폴더 : 만들어 둔 폴더를 모두 볼 수 있다

2. 삼성 노트 사용하기

1) 텍스트 입력하기

① 삼성노트 화면에서 오른쪽 하단에 있는 새 노트작성 아이콘 누르기

② 제목 입력창을 누르고 자판이 뜨면 글자나 음성으로 제목을 입력

③ 본문 입력창을 누르고 메모 내용을 입력

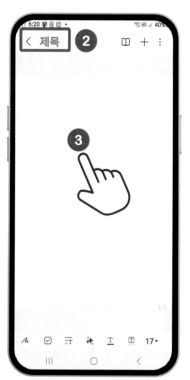

 참고 **제목을 입력하지 않고 내용만 입력하면 내용의 첫 문장을 제목으로 보여줌**

2) 입력화면 메뉴 익히기

① 그리기 : 손가락이나 S펜을 사용해서 그린다

② 체크박스 : 리스트 작성에 사용

③ 정렬 : 텍스트 정렬할 때 사용

④ AI 기능 : P.97 참조

⑤ 텍스트 색상 : 글자 색상 변경

⑥ 텍스트 배경색 : 글자에 배경색 넣기

⑦ 글자크기변경

3) 손으로 그려서 입력하기

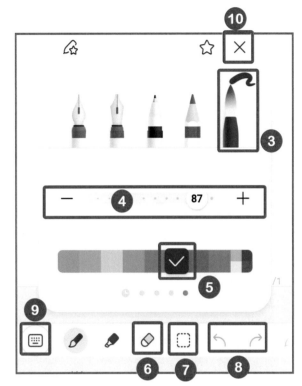

① 노트 입력 화면에서 [그리기] 누르기

② 필기도구 또는 형광펜 누르기

③ 필기도구 중에서 하나 선택해서 누르기

④ [+] 와 [-] 를 눌러 굵기 조절

⑤ 색상 선택

⑥ 지우개

⑦ 선택모드 : 그림의 일부만 잘라내기

⑧ 왼쪽 방향 화살표 : 이전으로 돌아가기, 오른쪽 방향 화살표 : 돌아가기 취소

⑨ 키보드 입력

⑩ 모든 설정이 끝나면 오른쪽 위의 X 를 누르고 그리기 화면으로 돌아가기

4) 체크 박스 사용하기

- 장보기 목록 만들어보기

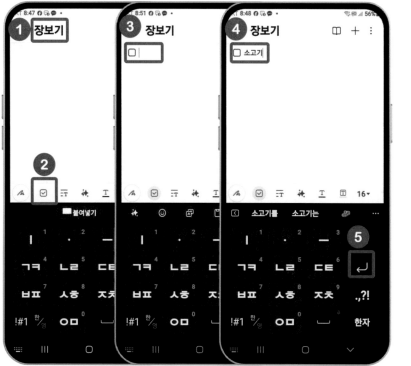

① 제목 입력하기

② 도구메뉴에서 체크박스 누르기

③ 입력창에 네모가 뜬다

④ 내용을 입력

⑤ 엔터키 ↵ 누르기

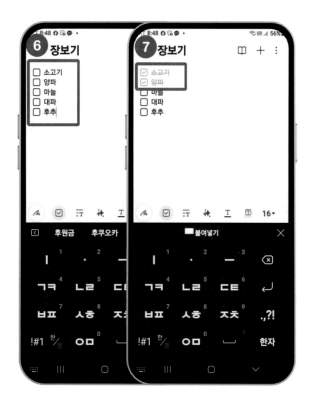

⑥ 엔터키 누르면 아래에 네모가 계속 만들어지고 여러 항목을 만들 수 있음

⑦ 장보기 실행한 항목의 네모를 누르면 지우기 선으로 줄이 그어지고 글자색은 회색으로 바뀜

5) 이미지 삽입하기

① 오른쪽 상단
더하기 버튼 누르기

② 팝업 메뉴에서
[이미지] 누르기

③ 갤러리 앱 누르기

④ 삽입할 사진 누르기

⑤ 노트에 사진이 들어가면
모서리를 눌러
크기 조절 가능

⑥ 사진 오른쪽 상단
빼기 누르거나 [삭제]
눌러 사진을 지울 수 있다

⑦ 사진 삽입 후
내용을 입력하거나
다른 사진을 더 넣을 수 있다

3. 삼성노트 관리하기

1) 폴더만들기

모든 노트 화면에서

① ☰ 누르기

② [폴더관리] 누르기

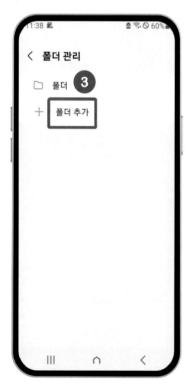

③ [폴더 추가] 누르기

④
폴더 이름을 입력하고
색상을 선택한 다음
[추가] 누르기

2) 자료를 폴더로 이동하기

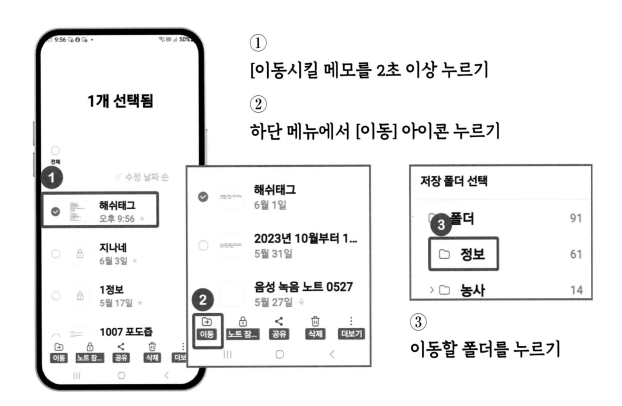

① [이동시킬 메모를 2초 이상 누르기

② 하단 메뉴에서 [이동] 아이콘 누르기

③ 이동할 폴더를 누르기

3) 노트 검색하기

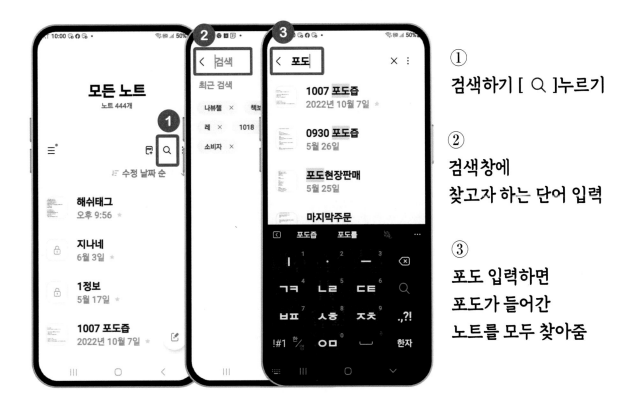

① 검색하기 [🔍]누르기

② 검색창에 찾고자 하는 단어 입력

③ 포도 입력하면 포도가 들어간 노트를 모두 찾아줌

4) 즐겨찾기

- 즐겨찾기는 자주 사용하는 메모, 폴더를 빠르게 찾을 수 있는 편리한 기능

(1) 즐겨찾기 추가하기

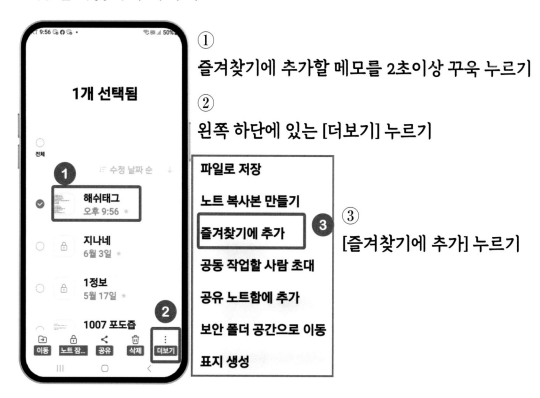

① 즐겨찾기에 추가할 메모를 2초이상 꾸욱 누르기

② 왼쪽 하단에 있는 [더보기] 누르기

③ [즐겨찾기에 추가] 누르기

(2) 즐겨찾기에 추가한 메모 찾기

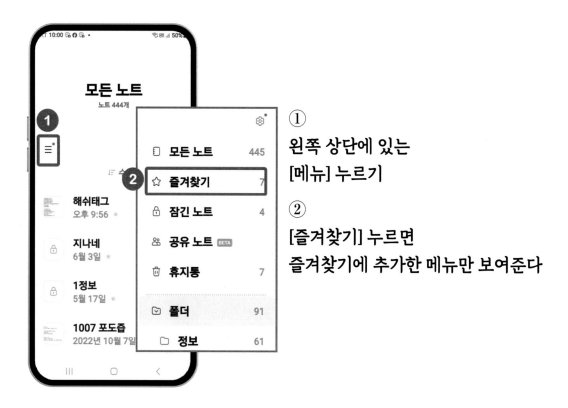

① 왼쪽 상단에 있는 [메뉴] 누르기

② [즐겨찾기] 누르면 즐겨찾기에 추가한 메뉴만 보여준다

5) 다양한 파일형태로 공유하기

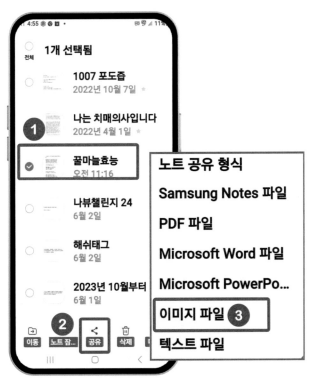

①
공유할 메모를 꾸욱 2초이상 누르면
하단에 메뉴가 뜬다

②
[공유] 아이콘 누르기

③
공유할 파일 형태를 선택하고 누르기

이미지 파일 선택하면
텍스트가 사진으로 변환되어 공유됨

6) 삼성노트 바로가기 메뉴

삼성 노트 앱을 2초이상 꾸욱 누르면
바로가기 메뉴가 뜨면서
빠르게 노트작성 화면으로 이동한다

- 노트작성 p87 참조
- 손글씨로 노트 작성 p88 참조

- 음성으로 노트 작성하기 : 텍스트 없이 음성파일로 저장된다

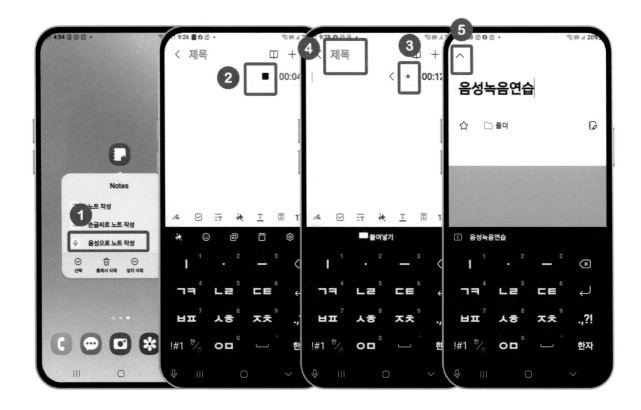

① 삼성노트 앱아이콘을 꾸욱 누르고 [음성으로 노트작성] 누르기
  (버튼을 누르는 순간 녹음이 시작됩니다.)

② 음성 입력 마치면 중지 누르기

③ 녹음 버튼 누르면 이어서 녹음 계속 할 수 있음

④ 제목 입력하기

⑤ 이전으로 돌아가기 누르기

4. 삼성 노트 AI 사용하기

1) AI 메뉴

[자동서식]
텍스트를 보기 쉽게
두 가지 양식으로 편집해 줌

[요약]
전체 내용을 요약해 줌

[오탈자 수정]
텍스트 내용에서
오타 와 빠진 단어 수정해 줌

[번역]
노트 내용을 번역해 줌

(1) 자동서식 기능

① AI 메뉴 누르기
② 자동서식 누르고 두 개 양식 중에서 선택하여 누르기

(2) 요약 기능

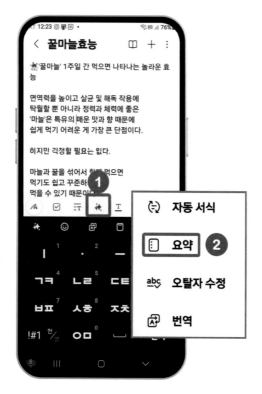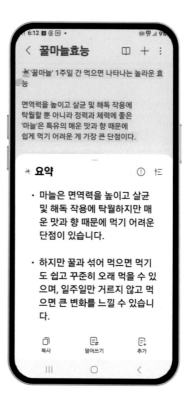

① AI 메뉴에서 요약 누르기　　② 전체 내용을 요약해줌

(3) 번역 기능

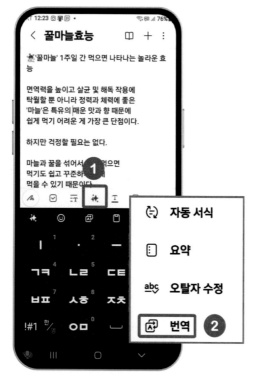

①AI 메뉴에서 번역 누르기　　② 전체 내용을 번역해준다

제7장
카카오톡

1.카카오톡 설정

1)카톡 설정 찾기 두가지 방법

방법1.
친구/채팅/오픈채팅 탭 > [⚙️]설정> 전체설정

방법2.
쇼핑 / 더보기 탭 > [⚙️]설정

2) 화면 글자 크기 조절하기

< 설정탭 >

①
[화면] 누르기

②
[글자크기] 누르기

③
동그라미를 좌우로 움직여
글씨 크기를 조절

3) 테마 설정

⚙️ 설정 > 테마 > [라이트 모드] / [다크 모드] 중 원하는 테마를 눌러서 선택

 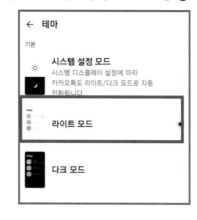 

4) 알림 설정

(1) 알림음 변경하기

⚙️ 설정 > 알림 > 알림음 > 다양한 알림음을 눌러보고 선택 후 확인

 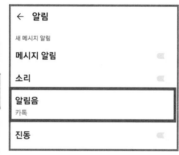 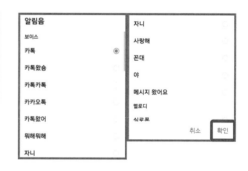

(2) 방해금지 시간대 설정하기

스마트폰 연락으로부터 자유로워지고 싶은 시간을 설정하세요.
설정한 시간대에는 스마트폰의 소리/진동, 알림으로부터 방해 받지 않는다.

⚙️ 설정 > 알림 >

① [방해금지 시간대 설정] 누르기

② [방해금지 시간대 설정] 활성화

③ 시작시간 정하고 확인
　 종료시간 정하고 확인

2. 프로필 변경하기

카카오톡에서 나를 대표하는 이미지인 프로필 사진은 다음과 같이 세 종류로 설정할 수 있습니다. [프로필 편집] > [프로필 사진 설정]에서 선택할 수 있습니다.

내 사진 프로필

커스텀 프로필

기본 이미지

1)프로필 사진 변경

② 내 프로필 누르기

① [친구]누르기

③ [프로필편집]누르기

④ 사진 옆 [📷] 누르기

⑤ 프로필 사진 설정
⑥ 앨범에서 사진/동영상 선택
커스텀 프로필 만들기
기본 이미지 적용

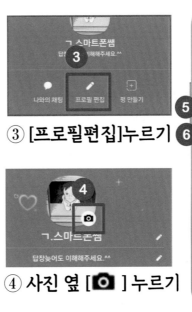

⑦ 변경할 이미지를 선택

⑧ [확인] 누르기

⑨ 변경된 이미지 [확인]

⑩ [완료] 눌러 작업 끝내기

· 커스텀 프로필 만들기

커스텀 프로필은 사용자들이 자신의 프로필을 개성있게 꾸밀 수 있는 기능입니다.
내가 갖고있는 이모티콘을 활용해 자신만의 스타일을 표현할 수 있습니다.

① [커스텀프로필 만들기] 누르기   ③ [텍스트입력] 눌러 글씨 쓰기
② 사용하고 싶은 이모티콘 고르기   ④ 변경된 텍스트 [확인]
⑤ [완료] 눌러 작업 끝내기

· 기본 이미지 적용

처음 카카오톡을 만들었을 때 꾸미지 않은 상태가 기본 이미지 입니다.

2)프로필 배경 설정

・앨범에서 사진/동영상 선택

① 프로필 왼쪽 하단 [📷] 누르기

② [앨범에서 사진/동영상 선택]누르기

③ 새로 바꾸고 싶은 [사진/동영상] 선택

④ 변경된 사진/동영상 [확인]

⑤ [완료] 눌러 작업 끝내기

・일러스트/색상 선택

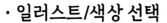

・기본 이미지 적용

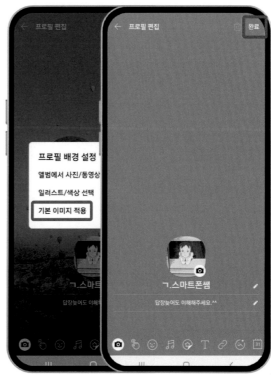

3) 배경 화면 꾸미기

· 내 이모티콘으로 꾸미기

①
스마일 모양을 누르면 내 카톡에 있는 이모티콘으로 배경을 꾸밀수 있음

②
이모티콘 선택하기

③
[x]를 터치하면 삭제됨
[↘]를 누른채로 움직여 크기 조절 위치 변경 가능

· 카톡 이모티콘으로 꾸미기

①
카톡에 있는 다양한 이모티콘으로 배경을 꾸밀 수 있음

②
이모티콘 선택하기

③
[x]를 터치하면 삭제됨
[↘]를 누른채로 움직여 크기 조절 위치 변경 가능

이모티콘 가운데를 꾸욱 누르고 드래그 하여 위치 변경

 참고 배경 화면 꾸미기 할 때 꾸미기를 모두 마친 다음 마지막에 완료 버튼을 누르세요.

① 프로필 오른쪽 하단
   [T]텍스트 누르기

② 원하는 텍스트 입력

③ 아이콘 선택해 글꼴, 글자색,
   글자 뒷 배경을 꾸미기

④ [확인] 눌러 작업 끝내기

글꼴	글자색	글상자

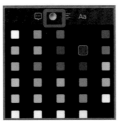

· 배경 꾸미기

① [🖼]배경을 선택

② 원하는 배경화면 선택

③ 꾸미기 이전의
   배경화면으로 되돌리기

· 디데이 만들기

① 달력모양 아이콘 누르기
② 원하는 모양 선택
③ [디데이 만들기] 누르기
④ 제목 쓰기
⑤ 달력에서 날짜 선택 후 [확인]
⑥ [설정일로부터 1일] 활성화 하기
⑦ [적용] 눌러 작업 끝내기

4) 이름 쓰기

• 이름이나 닉네임등을 적기
• 최대 20자까지 입력 가능

• 명언, 기분 상태, 쓰고 싶은 글 등 입력
• 최대 60자까지 적을 수 있음

3. 채팅방 종류

1) 1:1채팅방

- 대화하고 싶은 친구를 찾아 [1:1채팅]을 누르면 1:1 채팅방이 만들어집니다.

① 왼쪽하단 [친구]

② 검색 [🔍] 누르기

③ 검색창에 친구이름 검색

④ 검색된 친구 누르기

⑤ [1:1채팅] 눌러
   친구와 대화하기

2) 단체 채팅방

- 1:1채팅방을 만들고 그 방 안에서 대화상대를 초대하면 단체 채팅방이 됩니다.

① 친구를 초대할 채팅방 우측상단 [≡] 누르기
② [대화상대 초대] 누르기

③초대할 친구 선택 (검색 가능)
④ [확인] 눌러 작업 끝내기

3) 오픈채팅

카카오톡 오픈채팅은 카카오톡에서 제공하는 채팅 기능 중 하나로, 특정 주제나 관심사를 가진 사람들이 공개적으로 채팅방을 만들어 누구나 참여할 수 있게 하는 기능입니다.
오픈채팅을 통해 사용자들은 전화번호나 개인 정보 공개 없이 링크나 QR 코드를 통해 채팅방에 참여할 수 있습니다.

- 익명성: 개인 프로필 대신 오픈채팅 전용 닉네임과 프로필 사진을 사용하여 참여할 수 있습니다.
- 손쉬운 참여: 링크나 QR 코드를 통해 간편하게 채팅방에 입장할 수 있습니다.
- 주제별 채팅: 특정 주제나 관심사에 따라 다양한 오픈채팅방이 운영되고 있어, 비슷한 관심사를 가진 사람들과 소통할 수 있습니다.
- 관리 기능 : 채팅방 관리자가 방의 규칙을 설정하고, 참여자를 관리할 수 있습니다.

4) 채팅방 알림 끄기

- 채팅방은 다수가 이용하므로 많은 메시지 알림이 울려 알림으로 인한 피로를 줄이기 위해 알림을 해제할 수 있음

① 알림을 꺼두려는 채팅방의 오른쪽 상단 [≡]누르기

② 오른쪽 하단 알림[🔔] 한번 눌러 끄기

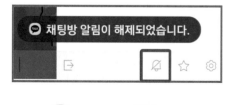

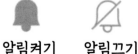

알림켜기   알림끄기

4. 채팅방 관리

1) 채팅방 이름 설정

① 카톡 왼쪽 하단[채팅] 누르기

② 이름을 변경 할 채팅방
　선택 후 길게 꾸~욱 누르기

③ [채팅방 이름 설정] 누르기

④ 변경할 이름 입력하기

⑤ [확인] 눌러 작업 끝내기

2) 즐겨찾기에 추가

① 카카오톡 하단[채팅] 누르기

② 즐겨찾기 할 채팅방 선택 후
　꾸~욱 누르기

③ [즐겨찾기에 추가] 누르기

④ 다시한번 하단 [친구] 목록

⑤ 즐겨찾기 등록 한 채팅방
　확인하기

3) 채팅방 상단 고정

① 카카오톡 하단[채팅] 누르기

② 상단에 고정 할 채팅방
   꾸~욱 누르기

③ [채팅방 상단 고정] 선택

④ 채팅목록 상단 채팅방 이름 옆
   [📌]핀모양 나타난다면 완료

4) 채팅방 알림 끄기

① 카카오톡 하단[채팅] 누르기

② 알림을 꺼두고 싶은 채팅방을 선택
   길게 꾸~욱 누르기

③ [채팅방 알림 끄기] 선택

5) 홈화면에 바로가기 추가

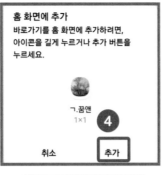

① 카카오톡 하단[채팅] 누르기

② 홈 화면에 추가할 채팅방을
선택 후 꾸~욱 누르기

③ [홈화면에 바로가기 추가] 선택

④ [추가] 누르기

⑤ 홈화면에서 확인

6) 조용한 채팅방으로 보관

· 조용한 채팅방이란?
조용한 채팅방을 만들면 알림이 꺼져 메시지가 들어와도 알림이 울리지 않음
활동을 자주 안 하는 단체 채팅방을 선택하여 조용한 채팅방에 보관하고 필요할
때는 직접 확인

① 카카오톡 하단 [채팅] 누르기

② 단체 채팅방을 선택 후
길게 꾸욱 누르기

③ [조용한 채팅방으로 보관] 선택

④ 채팅에서 상단에 고정된
[조용한 채팅방] 확인

7) 나가기

방법 1. 채팅방 목록에서 나가기

① 카카오톡 하단[채팅] 누르기

② 나갈 채팅방 선택 후 꾸욱 누르기

③ [나가기] 선택

* 나가기를 누르면
1:1 채팅이나 단체 채팅에서 나가기 됨

방법 2. 채팅방 안에서 나가기

① 오른쪽 상단 [☰] 누르기

② [→] 누르기

③ [나가기] 누르기

 [조용히 나가기] 기능 – 단체 채팅방에서만 가능

단체 채팅방에서 다른 참여자들에게 알림 없이 조용히 나갈 수 있게 해주는 기능입니다. 다른 사람들에게 표시되지 않으므로, 눈치 보지 않고 채팅방을 떠날 수 있습니다.
[조용히 나가기] 체크 후 [나가기] 누르기

5. 채팅방 활용

1) + 버튼 기능

(1) 채팅방에서 갤러리 사진 보내기

① + 버튼 누르기

② [앨범] 누르기

③ [전체] 누르기

④ 보낼 사진 여러 장 누르기

⑤ [사진 묶어보내기] 누르기

⑥ [전송] 누르기

참고

- 사진 묶어보내기는 최대 30장까지 가능
- 사진 묶어보내기를 체크하지 않으면 하나씩 전송됩니다.
- 갤러리에서도 카카오톡으로 사진 전송이 가능합니다.

[사진 묶어보내기] 체크 하면
전송한 사진이 한번에 보내짐

[사진 묶어보내기] 체크하지 않으면
전송한 사진이 각각 한장씩 보내짐

• 받은 사진을 갤러리에 저장하는 방법

① 사진 누르기

② 저장 버튼 누르기

③ [묶음사진 전체 저장] 또는 [이 사진만 저장] 중 선택

 • [묶음사진 전체 저장]은 묶어서 받은 사진 전체를 한번에 갤러리에 저장
• [이 사진만 저장]은 화면에 띄워진 사진 1장만 갤러리에 저장됩니다.

• 받은 사진을 다른 채팅방에 공유하는 방법

① 사진 누르기

② 공유하기 버튼 누르기

③ [묶음사진 전체 저장] 또는 [이 사진만 저장] 중 선택

④ 공유할 채팅방 선택

⑤ [보내기] 누르기

(2) 채팅방에서 카메라로 사진, 동영상 직접 찍어서 보내기

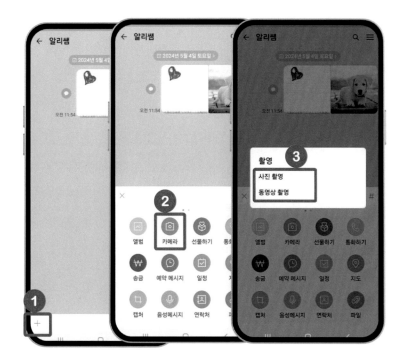

①
채팅방 글자입력창에서
[+]누르기

②
[카메라] 누르기

③
[사진 촬영] 이나
[동영상 촬영] 누르기

④
카메라 촬영모드나
동영상 촬영모드에서
촬영 버튼 눌러 사진이나
동영상 촬영하기

⑤
[확인] 버튼 누르기

⑥
[전송] 버튼 누르기

(3) 음성통화 또는 영상통화 하기(보이스톡과 페이스톡)

① 채팅방에서 [+]누른 후 [통화하기] 누르기

② [보이스톡]은 음성으로 통화하고, [페이스톡]은 얼굴보며 통화할 수 있음. 둘 중 선택하여 누르기

③ [데이터 사용 알림]이 뜨면 [확인] 누르기

 보이스톡이나 페이스톡은 데이터를 이용하면 요금이 발생됩니다. 와이파이가 연결된 곳에서는 무료로 사용 가능합니다.

(4) 페이스톡의 다양한 기능들

· 영상통화 배경화면 바꾸기

① 왼쪽 하단에 있는 메뉴(✦) 누르기

② [배경효과] 누르기

③ 배경 선택하기

④ 배경이 바뀐 것 확인

· 영상통화 하면서 공감 표시하기

①
오른쪽 상단
스마일 아이콘 누르기

②
[빠른 공감] 눌러
이모티콘 선택하고 누르기

③
화면에 내가 보낸
이모티콘이 보여짐

· 얼굴 가리기

· 화면 작게 하기

①
화면 작게 누르기

②
화면을 작게하여
통화하며 다른 앱을
볼 수 있음

(5) 예약 메시지 보내기

· 미리 메시지를 작성해두고 예약된 시간에 자동으로 보낼 수 있음

· 1:1 채팅방, 단체 채팅방에서 사용 가능

① 메시지 보낼 친구 채팅방에서 [예약 메시지]선택

② 메세지내용 입력

😊 〰️ ▷ 📎 를 눌러 각각

이모티콘, 사진, 동영상, 파일 전송 가능

③ ⌄ 눌러 키보드 닫기

④ 날짜, 시간 적힌 부분 누르기

⑤ 달력에서 날짜 선택

⑥ 시간 선택 후 확인

⑦ 보낼 상대 확인

⑧ [예약] 누르기

(6) 현재 나의 위치 또는 장소 검색하여 공유하기

· 현재 나의 위치 공유하기

① [+]눌러 [지도]누르기

② [위치정보 보내기]누르기
지도를 움직여
위치 조절 가능함

③ [카카오맵]눌러 길찾기
[카카오T]를 눌러 택시
호출

· 장소를 검색하여 공유하기

① 위 순서 2번 지도 검색창에서
공유할 장소 입력하기

② 검색결과에서
원하는 장소 찾아 누르기

③ [위치정보 보내기] 누르기

④ [카카오맵]을 눌러 길찾기
[카카오T]를 눌러 택시 호출

(7) 카카오톡 대화 캡처하기

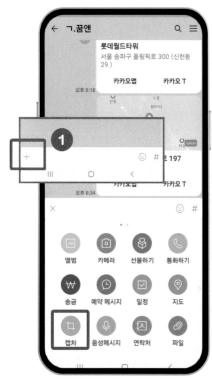

① [+] 눌러 [캡처] 누르기

캡처 할 부분 찾아 누르기
캡처 시작할 대화와 마지막
대화를 누르면 전체가
이미지 하나로 만들어짐

③ 내 갤러리에
저장하거나 공유하기

참고 개인정보 보호를 위해 이름을 모자이크 처리하거나 카카오 프렌즈로 변경하기

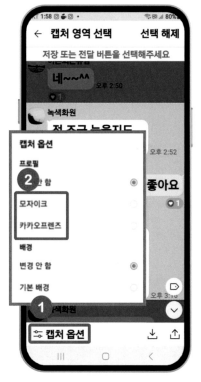

① 위의 과정 2번까지 진행한 후
[캡처 옵션] 누르기

② [모자이크] 또는
[카카오 프랜즈] 누르기

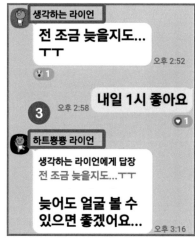

③ 이름이 모두 바뀐
것을 확인할 수 있다

(8) 연락처 보내기

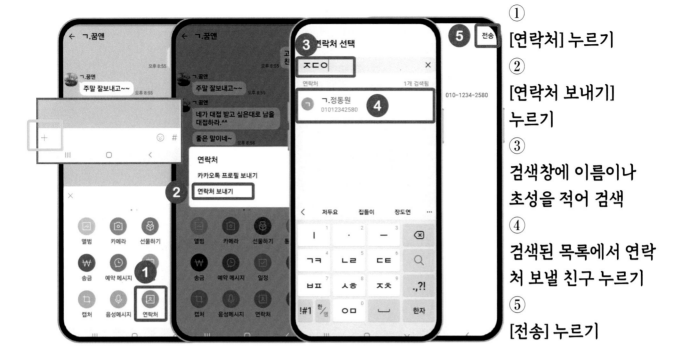

① [연락처] 누르기

② [연락처 보내기] 누르기

③ 검색창에 이름이나 초성을 적어 검색

④ 검색된 목록에서 연락처 보낼 친구 누르기

⑤ [전송] 누르기

· 받은 연락처 저장하기

카톡으로 전송받은 연락처를 저장하면 내 연락처 목록에 자동으로 저장 됨

① 받은 연락처 [자세히 보기] 누르기

② [저장] 누르기

2) 채팅방 기능

(1) 복사

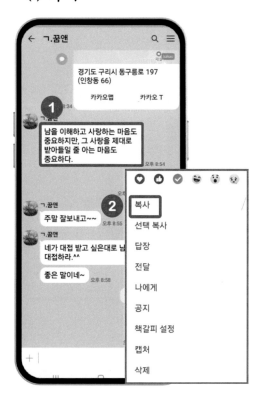
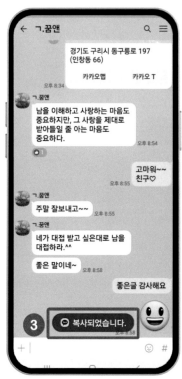

① 복사하고 싶은 대화를 꾸욱 누르기

② [복사] 누르기

③ [복사되었습니다] 문구가 보임

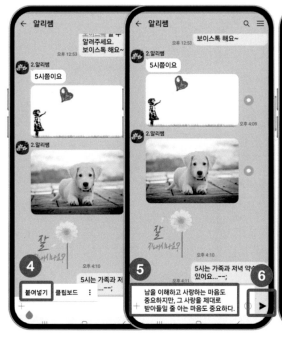

④ 복사한 내용을 붙여 넣기 할 채팅방으로 들어가 대화창을 살짝 눌러 [붙여넣기] 누르기

⑤ 복사한 내용이 입력됨

⑥ [보내기] 누르기

⑦ 복사한 내용 보내짐

(2) 선택 복사

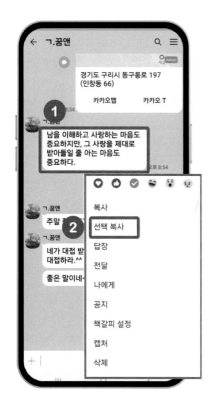

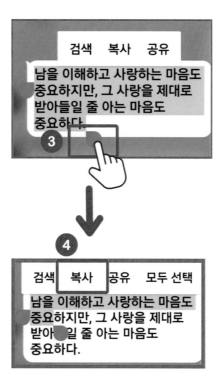

① 복사하고 싶은 대화를 꾸욱 누르기

② [선택 복사] 누르기

③ 물방울을 손가락으로 눌러 복사할 부분까지 끌고 가기

④ [복사] 누르기

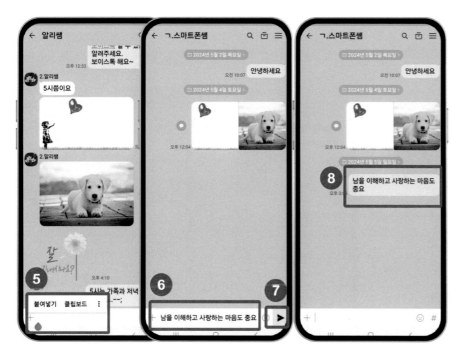

⑤ 공유할 채팅방 들어가 대화창을 살짝 눌러 [붙여넣기] 누르기

⑥ 복사한 내용 확인

⑦ [보내기] 누르기

⑧ 채팅 창에 복사한 내용 보내짐

(3) 대화 공감 이모티콘 보내기

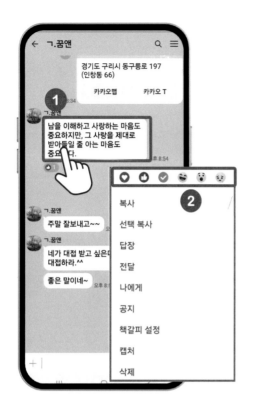

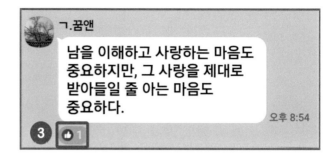

① 대화중 공감하는 친구의 대화를 길게 꾸~욱 누르기

② 이모티콘을 선택하고 누르기

③ 친구의 대화 밑에 내가 누른 공감표시가 나타남

(4) 답장

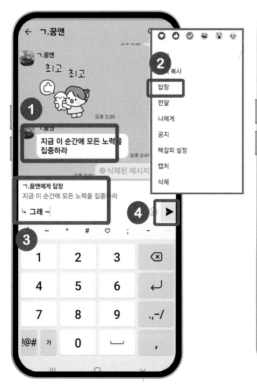

① 답장할 대화를 선택해 꾸욱 누르기

② [답장] 누르기

③ 답장글 쓰기

④ 보내기

⑤ 답장이 보내짐

(5) 전달

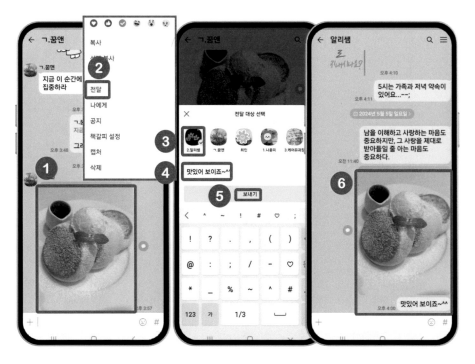

① 전달 할 사진이나
대화를 선택해
꾸욱 누르기
② [전달] 누르기
③ 전달할 친구
선택
④ 글 쓰기
⑤ [보내기] 누르기
⑥ 친구에게 보내짐

• 외부공유

① 나에게 보낼 대화를 선택해 꾸욱 누르기
② [전달] 누르기

③ [외부공유] 누르기
④ [더보기] 누르기
⑤ 보낼 다른 앱 찾아 누르기

(6) 나에게

① 나에게 보낼 대화를 선택해 꾸욱 누르기

② [나에게] 누르기

③ [전달하였습니다]가 보여짐

④ 내 카톡에 전달됨

(7) 공지

① 공지할 단체 채팅방 들어가 내용 보내기

② 보낸톡을 누르기

③ [공지] 선택
④ [예] 누르기

⑤ 카톡방 상단에 공지글이 고정됨

(8) 책갈피

· 대화 내용 중에서 중요한 내용을 표시하고 나중에 다시 찾아보기 기능

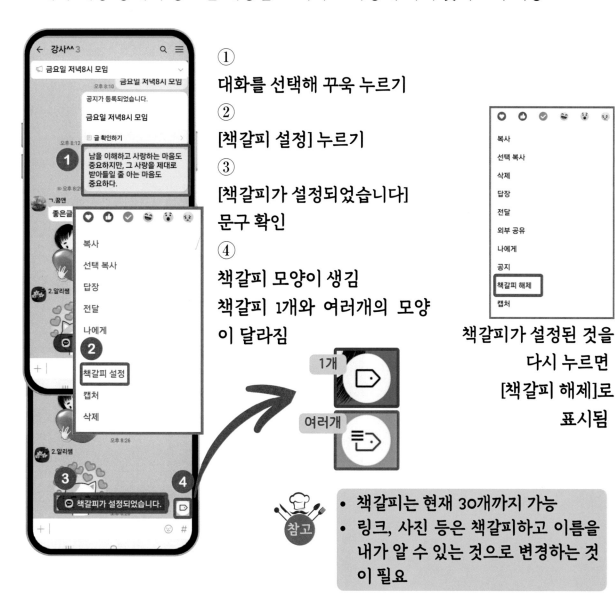

① 대화를 선택해 꾸욱 누르기

② [책갈피] 설정] 누르기

③ [책갈피가 설정되었습니다] 문구 확인

④ 책갈피 모양이 생김
책갈피 1개와 여러개의 모양이 달라짐

1개

여러개

책갈피가 설정된 것을 다시 누르면
[책갈피] 해제]로 표시됨

참고
• 책갈피는 현재 30개까지 가능
• 링크, 사진 등은 책갈피하고 이름을 내가 알 수 있는 것으로 변경하는 것이 필요

① 책갈피 누르기

② 편집 누르기

③ 수정 누르기

④ 이름 입력하고 [확인] 누르기

(9) 캡처

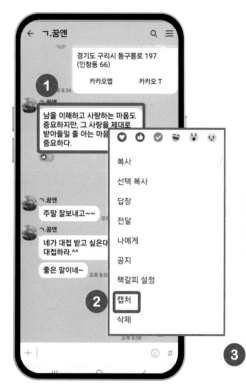 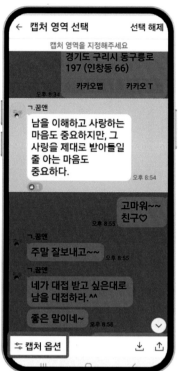

① 대화를 선택해 꾸욱 누르기

② [캡처] 누르기

③ [캡처 옵션] 누르기

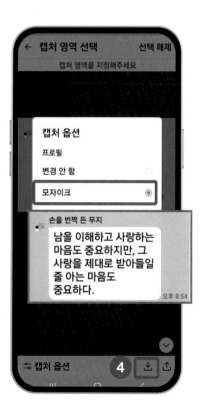 

④ 내 갤러리에 저장

⑤ 다른 채팅방으로 공유

 ③ [캡처 옵션]을 눌러 이름을 변경하거나 사진을 바꾸는 이유는 개인 정보 보호를 위함, 저작권 있는 것은 가리지 않고 공유

(10) 삭제

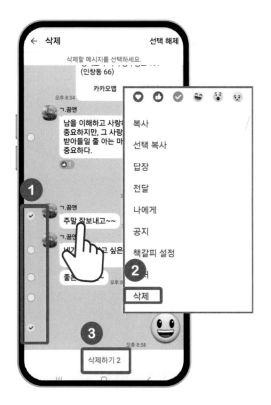 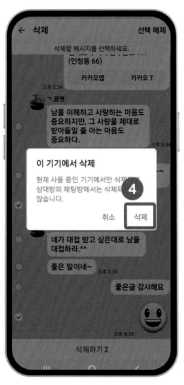

① 대화를 꾸욱 눌러 삭제할 대화 선택하기

② 팝업메뉴가 뜨면 [삭제] 누르기

③ [삭제하기2] 누르기

④ [삭제] 누르기

• 내가 잘못 보낸 메시지 삭제하기

 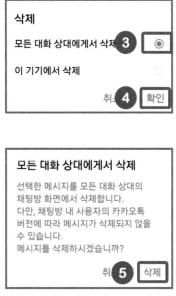

① 삭제할 대화 꾸욱 누르기

② 팝업메뉴가 뜨면 [삭제] 누르기

③ [모든 대화 상대에게서 삭제] 선택

④ [확인] 누르기

⑤ [삭제] 누르기

 메세지를 보내고 5분 안에 [모든 대화 상대에게서 삭제]하면 나와 상대방 모두에게서 삭제되지만 5분이 지난 후에는 내 폰에서만 삭제됨

119

3) AI로 요약 / 말투 변경하기

- **AI 기능 사용 활성화하기**

① ⚙️ 누르기
② [전체설정] 누르기
③ [실험실] 누르기

④ [실험실 이용하기] 활성화
⑤ [AI 기능 이용하기] 누르기

⑥ [AI 기능 이용하기] 활성화

- **AI 말투 변경하기**

① 보낼 메세지 작성

② (AI) 누르기

③ 말투 선택하면 문장이 바뀜

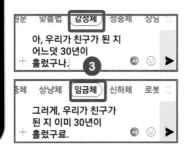

- **AI 내용 요약하기**

대화가 많이 쌓인 단체 카톡방에 들어가서 [안 읽은 대화 요약하기] 버튼을 누르면
내가 읽지 못한 대화의 내용을 간단히 요약하여 보여줍니다.

 카톡 대화창의 AI기능은 오픈채팅방에서는 사용 안됨

6. 선물하기

1) 선물 고르기

① [더보기] 누르기

② [선물하기] 누르기

③ [돋보기] 누르기

④ 검색하기

⑤ [브랜드검색] 하기

⑥ [더보기]에서 더 많은 브랜드를 볼 수 있음

⑦ 선택한 브랜드에서 선물 고르기

 참고   채팅방 + 버튼에서도 [선물하기] 가능

⑧
[선물하기] 누르기
⑨
수량과 금액 확인
⑩
[선물하기] 누르기
⑪
선물할 친구 선택하기
⑫
[확인] 누르기

2) 결제하기

① [선물하기] 누르기

② 그림 카드 선택

③ 메시지 적기

④ 결제수단 보기

⑤ 기타결제
　- 무통장 입금

⑥ 입금 은행 선택

⑦ [결제 하기] 누르기

 결제수단은 카카오페이, 신용/체크카드, 휴대폰, 무통장 입금 등이 있으니
편한 결제방법을 선택하기
휴대폰 결제는 휴대폰 요금에 합산되어 요금이 나오니 꼭 확인이 필요함

⑧
주문이 완료되면 카톡
메세지가 옴

⑨
주문완료 메세지에서
은행 계좌번호 확인 후
입금하면
선물하기 완료

3) 내가 받은 선물 확인/사용하기

① 하단 [더보기] 누르기   ③ 내가 받은 선물을 확인   ⑤ 바코드를 보여준다.

② [받은 선물] 누르기   ④ 사용하려는 선물 누르기

- 취소/환불을 누르면 금액의 90%만 환불됨
- 유효기간 안에 사용이 안되면 유효기간 연장 가능
- 상품에 따라 내용이 다를 수 있음

7. 톡서랍

톡서랍이란?
· 카카오톡에서 주고받은 메시지, 사진, 동영상, 파일 등을 보관하고
  관리할 수 있는 공간.
· 톡서랍 무료 사용은 데이터 저장 기한 제한이 있음
· 유료로 톡서랍 구독하는 동안 계속해서 사용할 수 있으나 오픈채팅방은 불가

1) 채팅방 서랍 확인

① 채팅방 [☰] 메뉴 누르기
② [채팅방 서랍]에서 확인

2) 톡서랍 확인

①
[톡서랍] 누르기
②
[내 톡데이터]에서
원하는 데이터
누르기
③
전체에서 원하는
친구 채팅방 누르기

8. 재미있는 기능

· 카카오톡에서 친구와 함께 가볍게 즐길 수 있는 게임

1) 사다리 타기

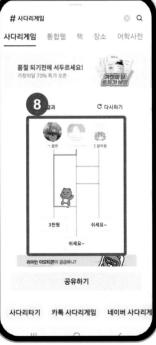

① 게임할 채팅방 들어가기
② 채팅창에 있는 [#] 누르기
③ [사다리타기] 누르기
④ [직접내기 입력] 누르기
⑤ 예시 선택
⑥ [공유] 누르기
⑦ 채팅방에서
   [전체결과 확인하기] 누르기
⑧ 캐릭터가 움직이며 결과 보여줌

2) 제비 뽑기

(1) 꽝뽑기

① 게임할 채팅방 들어가
   채팅창에 있는 [#] 누르기

② [제비 뽑기] 누르기

③ [꽝] 선택

④ [공유하기] 누르기

⑤ 채팅방에서 확인하기

⑥ 결과를 볼 수 있다

(2) 순위뽑기

① 게임할 채팅방 들어가
  채팅창에 있는 [#] 누르기

② [제비 뽑기] 누르기

③ [순위뽑기] 선택

④ [공유하기] 누르기

⑤ [전체 결과 확인하기] 누르기

⑥ 내 결과를 볼 수 있다

4) 텍스트콘

- 텍스트콘은 텍스트와 이모티콘의 합성어로, 글자로 이루어진 이모티콘을 의미함. 중요한 내용을 한눈에 보기 쉽게 전달함.

① 텍스트콘을 보낼 채팅방 들어가 채팅창에 있는 [#] 누르기
② 채팅창에 '텍스트콘' 입력 또는 (ㅌ) 한 글자만 써도 나타남
③ [텍스트콘] 선택
④ 입력창을 눌러 쓰고 싶은 글쓰기
⑤ [미리보기] 눌러 확인하기
⑥ 배경색을 바꿀 수 있음
⑦ [공유하기] 누르면 채팅방에 보내짐

- 4줄, 51자까지 가능
- 글자가 적을수록 크게 표시됨

제8장
아숙업

AskUp (아숙업)이란 ?

👀 눈 달린 챗GPT, 아숙업을 소개합니다.

= Ask(질문하다) + Upstage(업스테이지:AI 개발 기업)

AskUp(아숙업)은 카카오톡에서 사용할 수 있는 AI 비서 서비스로, 여러분의 일상생활을 더욱 편리하게 만들어줍니다.

다양한 질문에 답변을 제공하고, 정보를 찾아주며, 여러 가지 작업을 요청하면 도와줍니다. GPT-3.5버전, 거대언어모델 '솔라'를 도입해 이미지와 글씨를 이해하는 기능을 갖추고 있습니다.

AskUp(아숙업)은 카카오톡 친구 추가 후 바로 사용할 수 있으며, 사용법도 매우 간단합니다. 채팅창에 궁금한 것을 입력하기만 하면 AskUp(아숙업)이 답변을 줍니다. 이 서비스는 24년 6월 현재 무료로 제공되며, 언제 어디서나 편리하게 사용할 수 있습니다.

아숙업AskUp 주의사항

- GPT-3.5 버전 사용 (일부 GPT4버전, 구글 검색 기능 사용 가능)
- 이미지 텍스트 인식 : 이미지 속 글이 1,200자 이내로 인식
- 연령 제한 : 14세 이상만 사용 가능합니다.
- 컨텐츠 필터링 : 부적절한 말이나 사진을 필터링하지만, 일부 적절하지 않은 컨텐츠가 생성될 수 있습니다.
- 데이터 최신성 : 일반 질문 기준 2021년 10월 이전의 데이터로 학습되어 실시간 정보 제공이 어렵습니다.
- 답변 정확성 : OpenAI의 답변이 부정확하거나 부적절할 수 있으며, 특히 개인적인 정보에 대한 답변은 부정확할 수 있습니다.

1. 아숙업AskUp 채널 추가

- 아숙업(askup)과 대화를 나누기 전 먼저 친구로 등록하는 [채널추가] 필수

①

카카오톡 하단 채팅창 선택한 다음 상단에 있는 검색버튼 누르고 [아숙업] 검색

②

노란색 버튼 [AskUp] 채널 누르기

③

팝업창이 뜨면 [채널추가] 누르기

④

[채널추가]가 완료되면 아숙업과 대화를 나눌 수 있다. 아래의 로봇 모양의 챗봇버튼 [1:1 대화]을 누르고 대화창에서 채팅하기

챗봇 아이콘 눌러서 아숙업과 대화 시작하기

2. 정보검색 기능

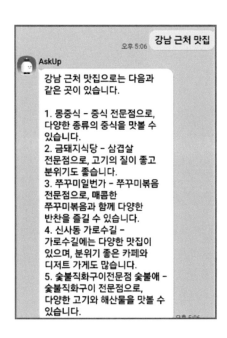

1) 일반검색

궁금한 것이 있다면
"~알려줘.", "~설명해줘"라고 물어보세요.
예를들어 "강남 근처 맛집"이라고 물어보면
2021년 10월 이전의 데이터에 기반한 정보를
제공받게 됩니다.

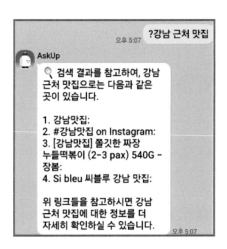

2) 물음표 ? 검색

최신 정보를 얻고 싶다면??
질문 앞에 물음표 [?]를 붙여보세요.
예를 들어, 강남 근처 맛집을 찾고 싶다면
"?강남 근처 맛집"이라고 입력하세요.
구글 검색을 통한 최신 정보를 기반으로 답변을
받을 수 있습니다.

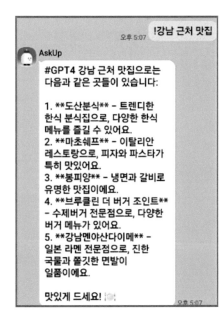

3) 느낌표 ! 검색

질문 앞에 느낌표 [!]를 붙이면
챗GPT4 활용한 답변을 받아볼 수 있습니다.
"!강남 근처 맛집"이라고 질문해보세요.
좀 더 정교한 대답을 얻을 수 있어요.
정보는 2023년 2월 기준으로 제한적 입니다.
현재 챗GPT4 질문의 횟수에는 제한이 없습니다.

4) 다양한 활용 사례

건강 관련 상식(운동, 식단, 수면 등)이 궁금할 때 질문해보세요.

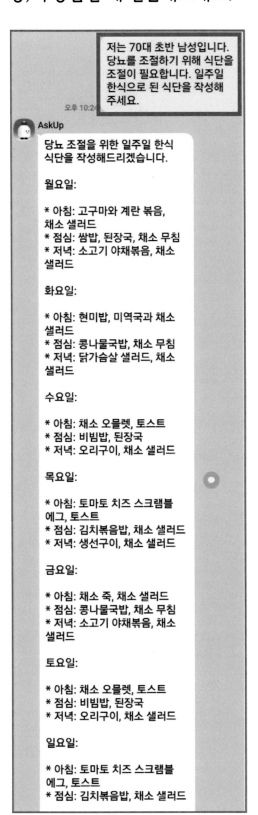

<< 다양한 질문 예시 >>

- 이 영양제는 어떤 효과가 있을까?
- 식단 및 운동 스케줄 짜줘.
- 이 옷은 어떻게 세탁해야 할까?
- 14개월 된 아기가 약을 먹이면 뱉어내요. 어떻게 할까?
- 이 액자 속 장소와 비슷한 느낌의 도시 추천해줘.
- 수학 문제 풀고 해설해줘.
- 영어 문장의 문법 오류 찾아서 설명해줘

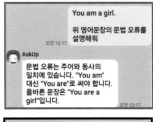

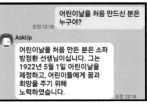

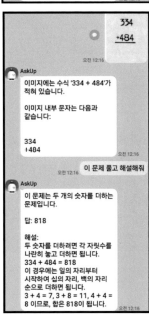

 현재 아숙업은 사용량 제한으로 인해 1시간에 10번까지만 질문을 받을 수 있습니다. 10번을 모두 사용하신 후에는 1시간 후에 다시 10번을 사용할 수 있습니다.

133

3. 이미지 인식 기능

1) 사진 속 글자읽기 (OCR)

OCR(광학 문자 인식) 기능은 이미지를 분석하여 그 속에 있는 글자를 읽어주는 기술입니다. 이 기능을 사용하면 사진 속에 있는 글자를 쉽게 읽을 수 있습니다. 책, 간판, 문서 등의 이미지를 찍어 텍스트로 변환할 때 유용합니다.

단, 이미지 속 글자가 1200자 이상일 경우, 인식이 제한 될 수 있습니다.

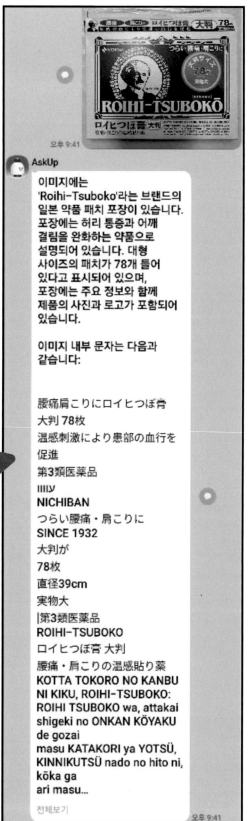

2) 내용 요약, 번역하기

이미지 속 글자가 외국어일 경우 변환된 글자 아래 [이미지 내용 번역해줘]를 누르면 한국어로 번역됩니다.
내용이 너무 길게 느껴진다면 [이미지 내용 요약해줘]를 눌러 보세요.

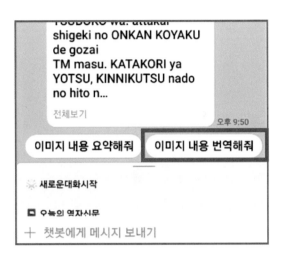

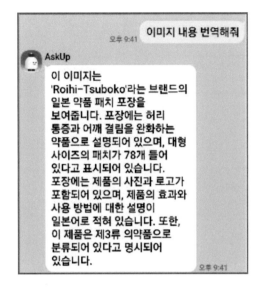

활용 사례 > 메뉴판의 외국어 읽고 주문 돕기

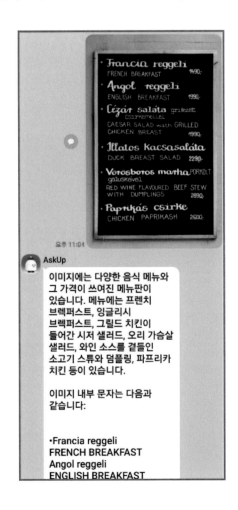

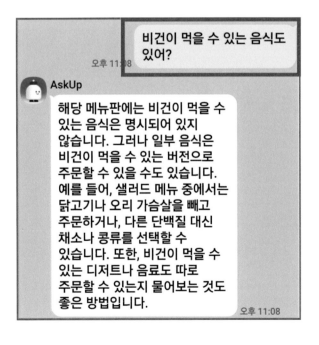

3) 사진 속 음식 정보와 조리법

사진 속 음식의 칼로리를 계산하는 기능이 지원됩니다. 이 기능은 이미지를 분석하여 음식의 종류와 양을 인식하고, 이에 기반한 칼로리 정보를 제공해 줍니다. 음식이 담긴 사진을 아숙업에 업로드해보세요.
사진 속 음식의 조리법이 궁금하다면 음식사진을 올린 뒤 "이 음식을 만드는 방법 알려줘"라고 질문해보세요.

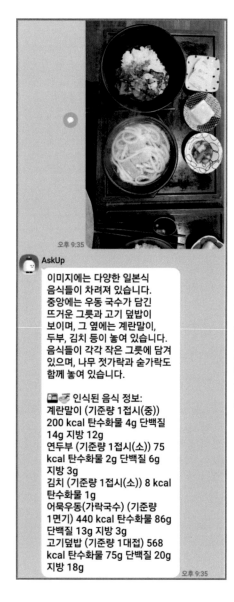

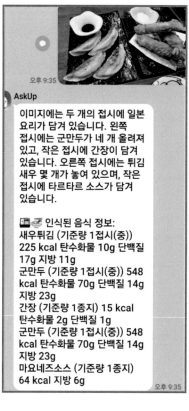

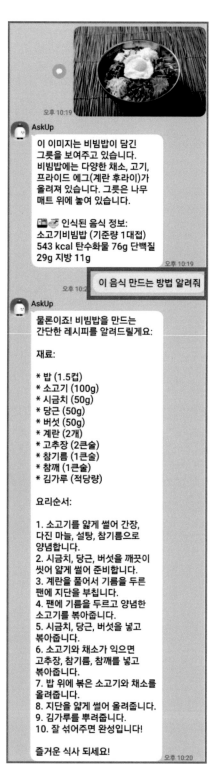

4. 이미지 생성 기능

아숙업은 다양한 이미지를 그릴 수 있습니다. '~~그려줘.'라고 요청하면 다양한
이미지(자연, 동물, 사람, 사물, 음식, 만화 캐릭터, 건축, 풍경 등)가 생성됩니다.
만약 그려준 그림이 마음에 들지 않으면 더 자세한 요구사항을 말해주세요.
더 정확한 이미지를 생성할 수 있습니다. 단계별로 따라해보세요.

1단계 (생성)
~~ 그려줘

2단계(수정)
~로 다시 그려줘

3단계
구체적 설명 + 화풍 명시

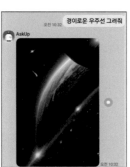

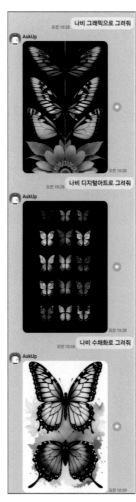

5. URL 기능

URL 기능은 사용자가 채팅창에서 웹사이트 링크(URL)를 입력하면 자동으로 해당 URL의 콘텐츠를 요약하여 제공하는 기능입니다.
이 기능은 사용자가 웹페이지를 직접 방문하지 않고도 주요 내용을 빠르게 파악할 수 있도록 돕습니다.

< 사용 예시 >

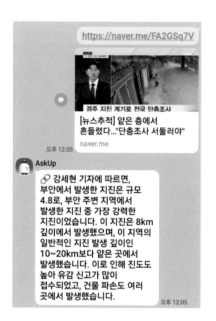

1. 사용자가 카카오톡 채팅창에 "https://www.example.com" 과 같은 URL을 입력합니다.
2. 아숙업이 URL을 인식하고 웹페이지의 내용을 분석합니다.
3. 분석된 결과로 웹페이지의 제목, 주요 이미지, 핵심 내용을 요약하여 채팅창에 표시합니다.

6. 얼굴 기능

아숙업에 사진을 전송하면 아래와 같은 팝업창이 나타난다.
그 중 원하는 한 가지를 선택하여 누르면 잠시 뒤 사진이 바뀌어 나타난다.

에필로그

박현경 : 1권에 이어 2권까지 실력이 더욱 성장하셨을 것이라 생각합니다. 같이 해 주시는 분들이 계셔서 저도 계속 성장하고 있습니다. 함께 해주셔서 감사합니다!

오수정 : 최신 정보를 담은 [스마트폰 씹어먹기: 기본편]이 출간되었고, 곧바로 2권 활용편 작업을 시작했습니다. 책을 받아보신 디지털 강사님들께서 "정말 모든 것을 갈아 넣으셨네요. 대단하세요."라며 칭찬해주셨습니다. 그동안의 고생이 기쁨으로 바뀌는 순간이었습니다. 수강생과 초보 강사님들을 위해 꼭 스마트폰 교재를 출간하고 싶었습니다. 모두가 쉽게 이해하는 책을 만들기 위해 사진 한 장, 글자 한 자까지 신경을 썼습니다. 새벽까지 함께 책을 만들어주신 레디큐디지털교육연구소 강사님들께 깊이 감사드립니다. 많은 분들이 저희 책으로 스마트한 세상에서 미소를 되찾길 바랍니다.

오현수 : 기본편에서 스마트폰 설정을 꼼꼼하게 공부하신 수강생분들께서 활용편이 빨리 나오기를 기다리는 모습을 보면서, 일곱 명의 강사들이 강의하는 틈틈이 교재 만들기에 집중했습니다. 활용앱이 빠르게 업그레이드 되면서 교재에서 다루어야 할 내용이 많이 늘어났습니다. 한 장씩 꼼꼼히 살펴보며 따라해보세요. 내 손바닥 안의 스마트폰으로 더욱 편리한 일상을 누릴 수 있을거에요!

이경숙 : [스마트폰 씹어먹기 기본편]으로 스마트폰 안의 설정들을 알아가셨지요. 이제 다양한 앱을 활용해서 보다 유용하고 스마트한 삶을 바꿀 수 있는 방법을 [스마트폰 씹어먹기2 활용편 기본앱]에 꼭 꼭 담았습니다. 실생활에서 사용할 수 있는 편리한 앱을 쉽고 재미있게 구성하였고 AI 기능이 많이 추가 되어서 업그레드 되었습니다. 하나 하나 따라 하시다 보면 어느새 변화된 나를 발견하실 수 있고 스마트폰을 즐겁게 사용하실 수 있을 것입니다. 이제 스마트한 세상으로의 문이 활짝 열렸습니다. 마음껏 즐기고 활용해보시기 바랍니다.

이채영 : 스마트폰 씹어먹기 시리즈 1권 출간 이후 두 달 만에 다시 2권으로 인사 드립니다. 이번에는 좀 더 다양한 기능들을 알려드릴 수 있어서 행복합니다. 가벼운 마음으로 차근차근 교재를 따라해 보세요. 스마트폰 세상으로의 여행이 쉽고 편하도록 씹어먹기 시리즈가 도와드립니다. 곧 이어질 3권도 기대해주세요.

정승미 : 두번째 교재 [스마트폰 씹어먹기2 활용편 기본앱]은 일곱분의 강사님들이 바쁜 시간을 쪼개가며 더욱 수강생의 입장에서 최신 버전으로 자세하고, 보기 쉽게 하기 위해 심사숙고해 교재를 만들었습니다. 활용편 교재가 수강생의 생활에 스마트한 동반자가 되길 바라는 마음입니다.

차성혜 : 1권에 이어 2권을 함께 만들 수 있음에 감사합니다. 쉽지 않은 협업 가운데 서로를 배려하며 완성하는 과정 속에서 많은 것을 배울 수 있는 소중한 시간이었습니다. 개인적으로 부족한 부분이 많아 늘 뒤따라가기 힘겨웠지만, 기다려주시고 알려주시는 동료 선생님들 덕분에 끝까지 완성할 수 있었습니다. 이제 내 손안의 스마트폰은 이 책을 통해 더 넓은 세상으로 나아가기에 충분할 것입니다.

스마트폰 씹어먹기 2

활용편 기본앱

발행일 2024년 07월 25일
지은이, 편집, 디자인 : 레디큐디지털교육연구소 7명
발행인, 기획 : 레디큐
출판사 : 레디큐
팩스 : 0504-145-1139

ISBN: 979-11-987501-3-6(03590)